A-Z HARROW and

Key to Maps

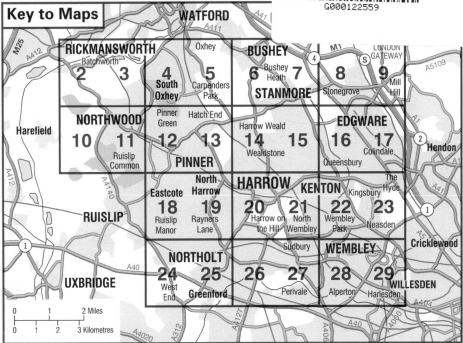

| 0 | 1 | 2 Miles |
| 0 | 1 | 2 | 3 Kilometres |

Reference

Motorway	**M1**	
A Road	A409	
B Road	B457	
Dual Carriageway		
One-way Street		
Traffic flow on A Roads is indicated by a heavy line on the drivers' left.		
Restricted Access		
Pedestrianized Road		
Track & Footpath		
Residential Walkway		
Railway	Level Crossing / Station / Tunnel	
Underground Station	Symbol is the registered trade mark of Transport for London	

Built-up Area	NEAL ST.
Local Authority Boundary	
Postcode Boundary	
Map Continuation	12
Junction Name	HARROW RD.
Church or Chapel	†
Fire Station	■
Hospital	H
House Numbers A & B Roads only	86 3
Information Centre	i
National Grid Reference	510

Police Station	▲
Post Office	★
Toilet with Facilities for the Disabled	♿
Educational Establishment	
Hospital or Hospice	
Industrial Building	
Leisure or Recreational Facility	
Place of Interest	
Public Building	
Shopping Centre or Market	
Other Selected Buildings	

Scale

1:15,840
4 inches to 1 mile

| 0 | ¼ | ½ | ¾ Mile |
| 0 | 250 | 500 | 750 | 1 Kilometre |

6.31 cm to 1 kilometre
10.16 cm to 1 mile

Geographers' A-Z Map Company Limited

Head Office:
Fairfield Road, Borough Green, Sevenoaks, Kent TN15 8PP
Tel: 01732 781000 (General Enquiries & Trade Sales)

Showrooms:
44 Gray's Inn Road, London WC1X 8HX
Tel: 020 7440 9500 (Retail Sales)
www.a-zmaps.co.uk

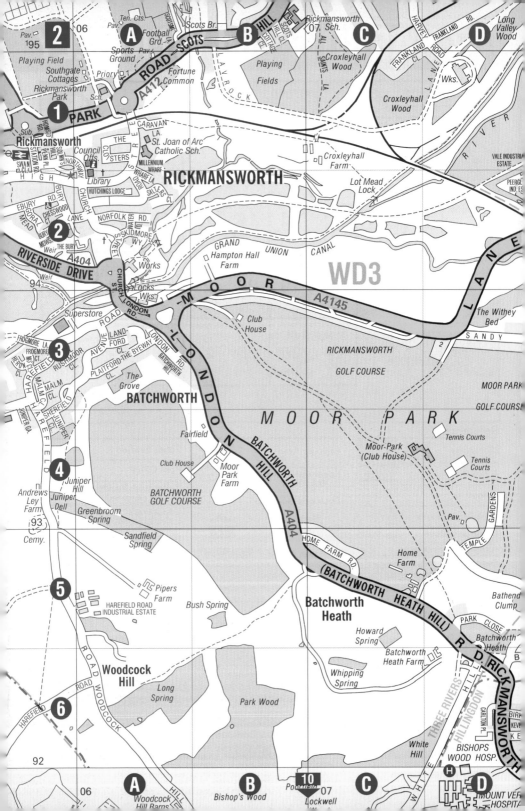

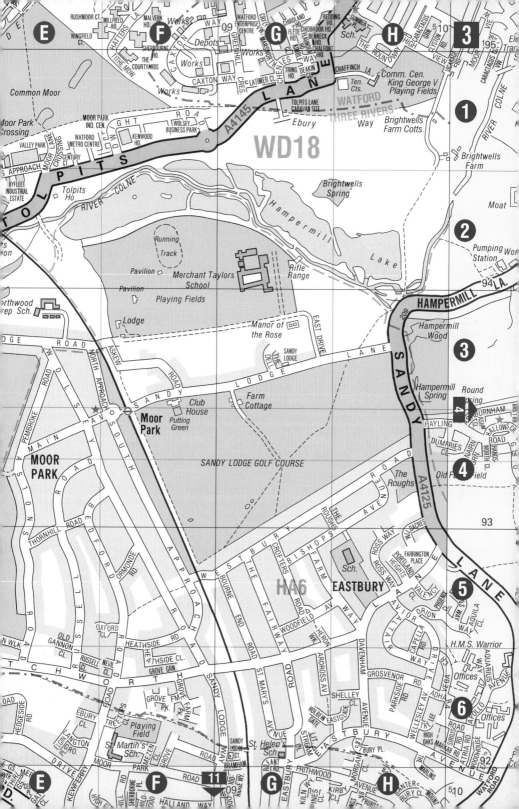

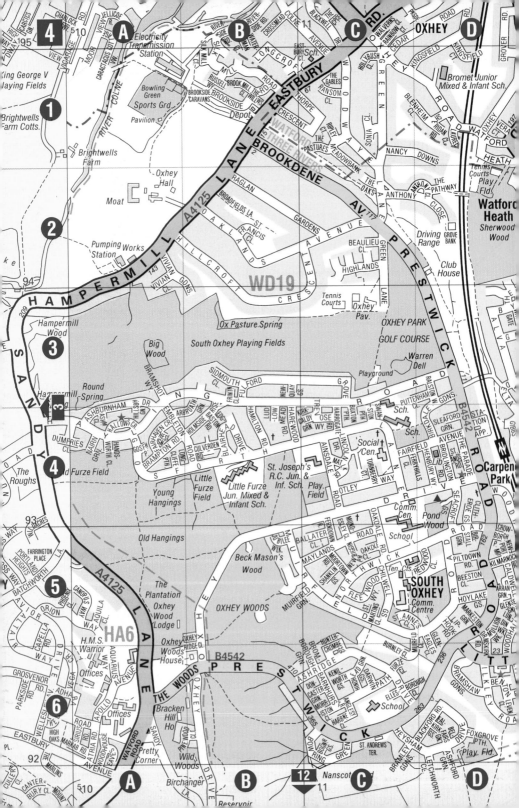

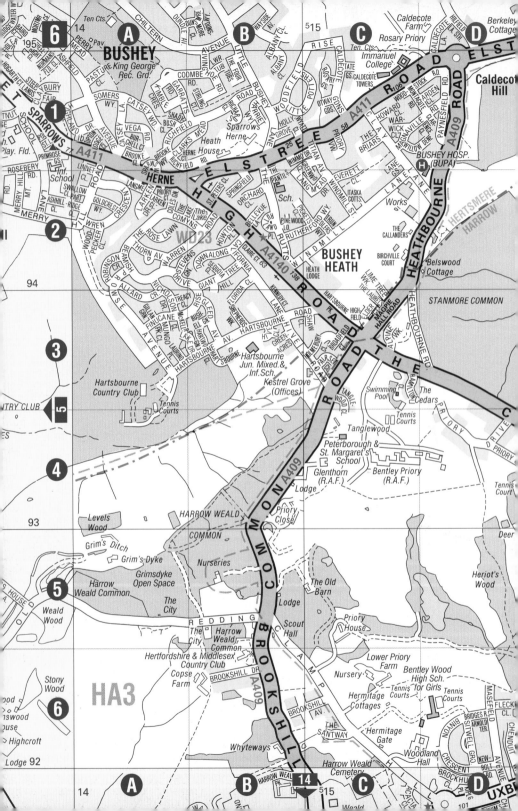

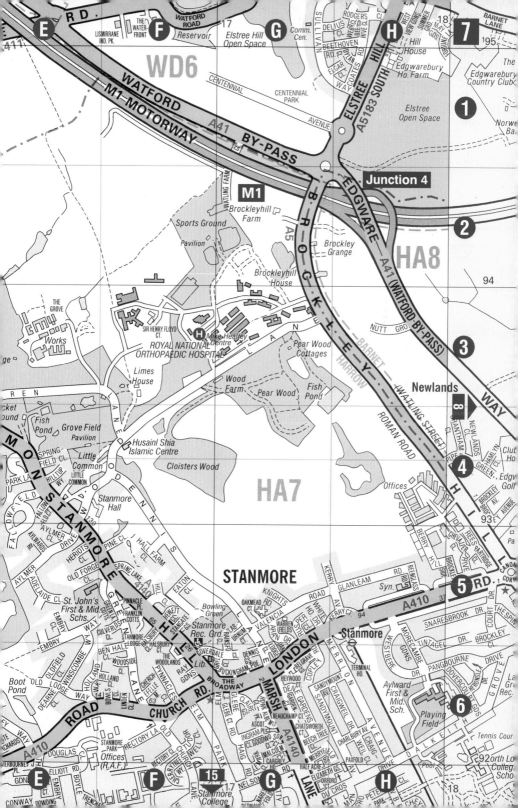

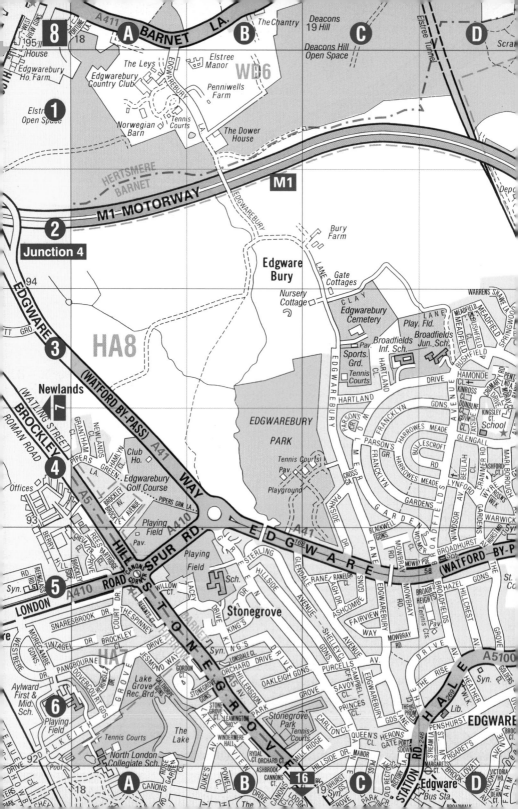

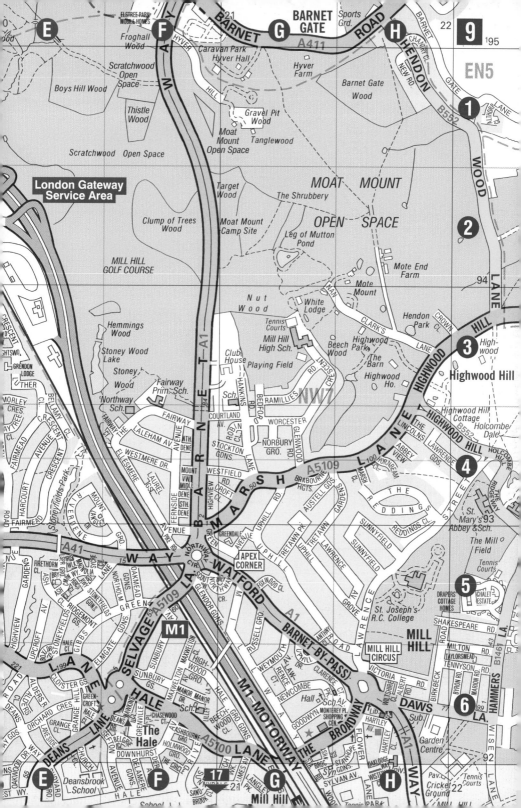

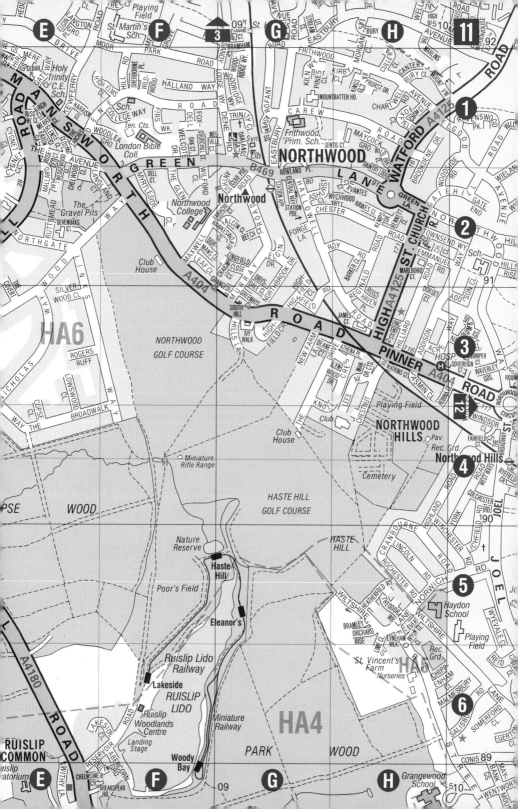

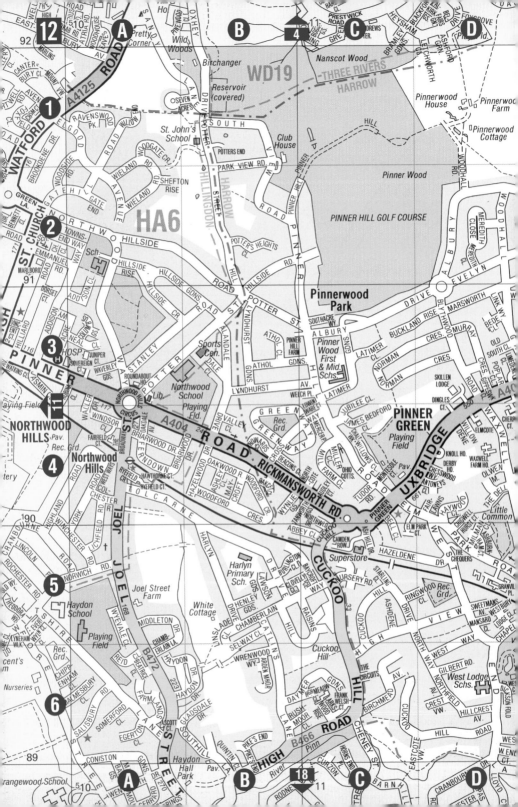

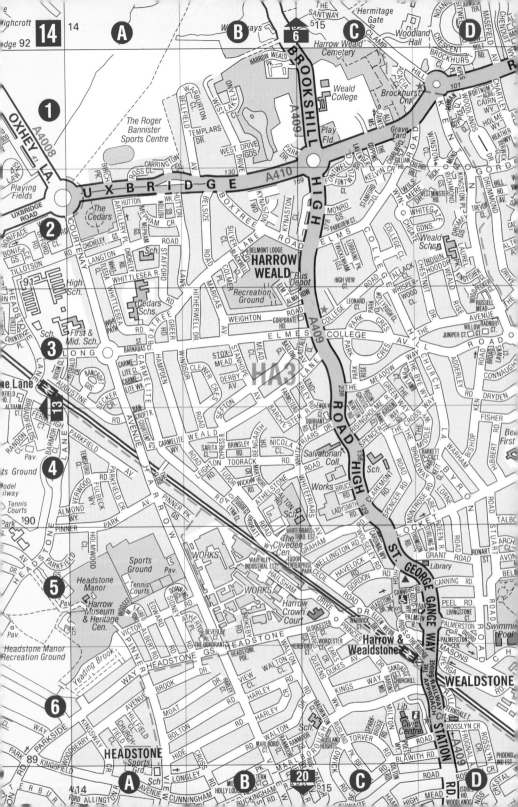

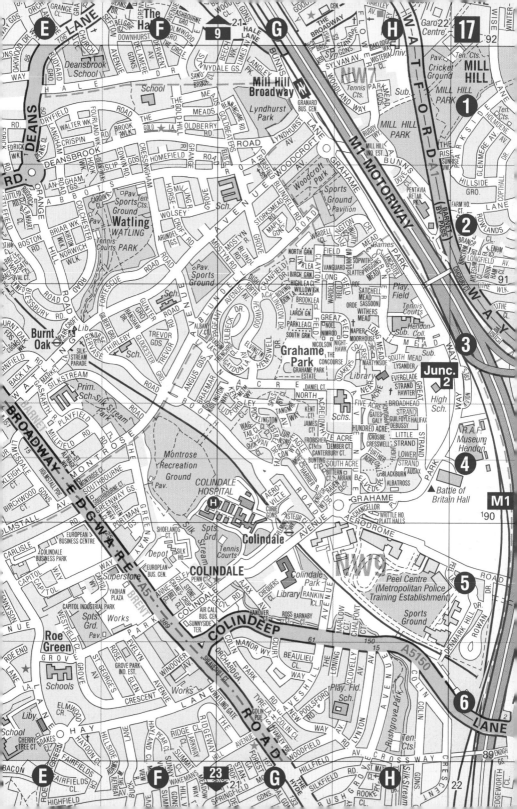

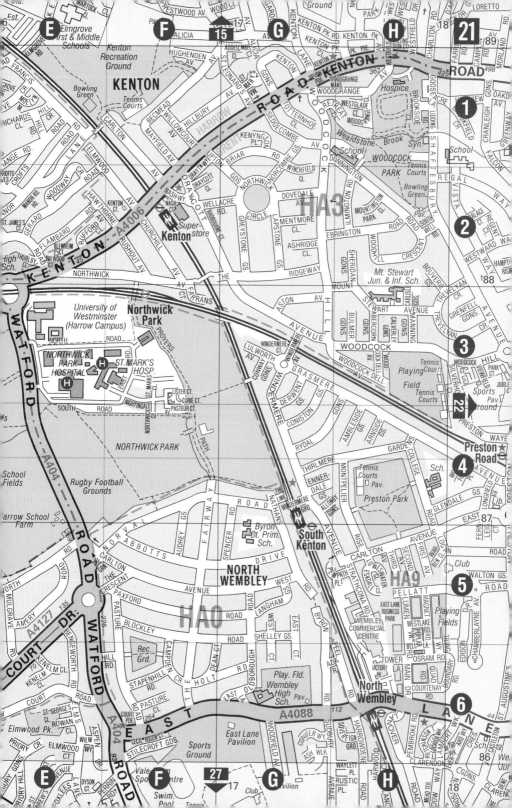

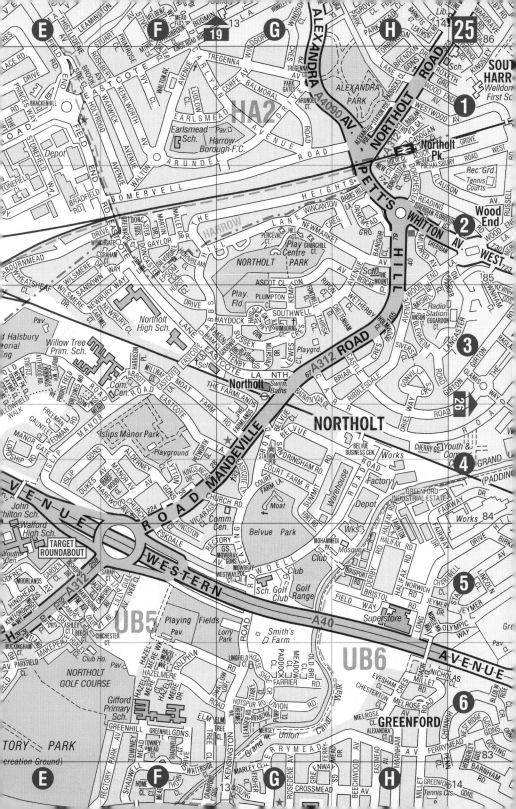

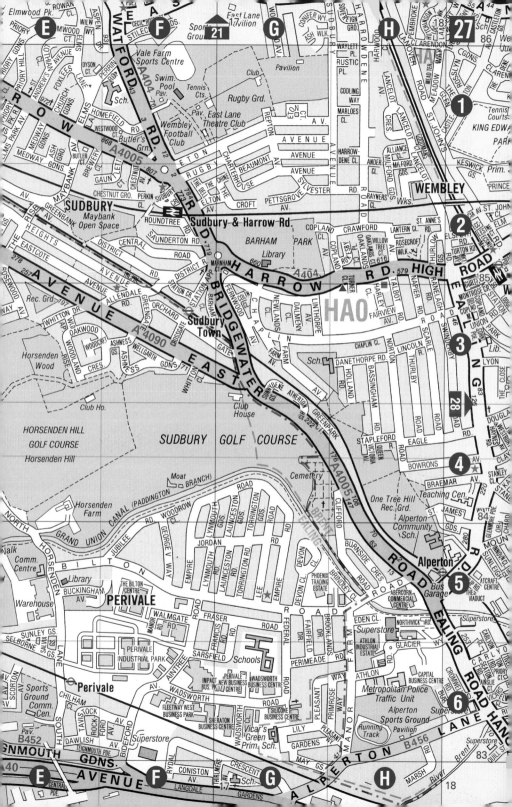

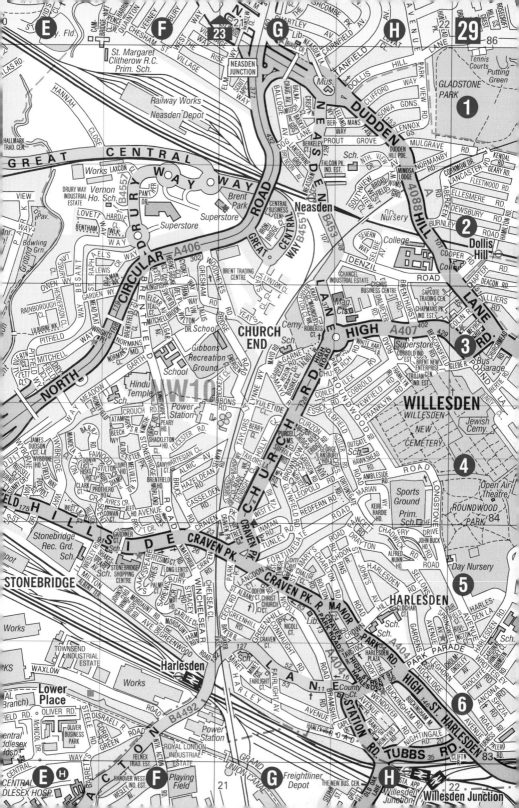

INDEX

Including Streets, Places & Areas, Hospitals & Hospices, Industrial Estates,
Selected Flats & Walkways, Junction Names and Selected Places of Interest.

HOW TO USE THIS INDEX

1. Each street name is followed by its Posttown or Postal Locality and then by its map reference; e.g. Abbey Av. *Wemb* —6A **28** is in the Wembley Posttown and is to be found in square 6A on page **28**. The page number being shown in bold type.
A strict alphabetical order is followed in which Av., Rd., St., etc. (though abbreviated) are read in full and as part of the street name; e.g. Ash Cft. appears after Ashcombe Pk. but before Ashdale Gro.

2. Streets and a selection of Subsidiary names not shown on the Maps, appear in the index in *Italics* with the thoroughfare to which it is connected shown in brackets; e.g. *Acre Path. N'holt* —3E **25** (off Arnold Rd.)

3. Places and areas are shown in the index in **bold type**, the map reference to the actual map square in which the town or area is located and not to the place name; e.g. **Alperton.** —6A **28**

4. An example of a selected place of interest is Bushey Golf & Country Club. —1G 5

5. An example of a hospital or hospice is BISHOPS WOOD BMI HOSPITAL. —6D 2

GENERAL ABBREVIATIONS

All : Alley	Ct : Court	Lit : Little	Rd : Road
App : Approach	Cres : Crescent	Lwr : Lower	Shop : Shopping
Arc : Arcade	Cft : Croft	Mc : Mac	S : South
Av : Avenue	Dri : Drive	Mnr : Manor	Sq : Square
Bk : Back	E : East	Mans : Mansions	Sta : Station
Boulevd : Boulevard	Embkmt : Embankment	Mkt : Market	St : Street
Bri : Bridge	Est : Estate	Mdw : Meadow	Ter : Terrace
B'way : Broadway	Fld : Field	M : Mews	Trad : Trading
Bldgs : Buildings	Gdns : Gardens	Mt : Mount	Up : Upper
Bus : Business	Gth : Garth	Mus : Museum	Va : Vale
Cvn : Caravan	Ga : Gate	N : North	Vw : View
Cen : Centre	Gt : Great	Pal : Palace	Vs : Villas
Chu : Church	Grn : Green	Pde : Parade	Vis : Visitors
Chyd : Churchyard	Gro : Grove	Pk : Park	Wlk : Walk
Circ : Circle	Ho : House	Pas : Passage	W : West
Cir : Circus	Ind : Industrial	Pl : Place	Yd : Yard
Clo : Close	Info : Information	Quad : Quadrant	
Comn : Common	Junct : Junction	Res : Residential	
Cotts : Cottages	La : Lane	Ri : Rise	

POSTTOWN AND POSTAL LOCALITY ABBREVIATIONS

Ark : Arkley	*Edgw* : Edgware	*Kent* : Kenton	*S Harr* : South Harrow
Barn : Barnet	*Els* : Elstree	*N Har* : North Harrow	*S Ruis* : South Ruislip
B Hth : Batchworth Heath	*Gnfd* : Greenford	*N'holt* : Northolt	*Stan* : Stanmore
Borwd : Borehamwood	*Hare* : Harefield	*N'wd* : Northwood	*Uxb* : Uxbridge
Bush : Bushey	*Harr* : Harrow	*Pinn* : Pinner	*Wat* : Watford
Bus H : Bushey Heath	*Har W* : Harrow Weald	*Rick* : Rickmansworth	*W'stone* : Wealdstone
Crox G : Croxley Green	*H End* : Hatch End	*Ruis* : Ruislip	*Wemb* : Wembley
Eastc : Eastcote	*Hay* : Hayes	*S'hall* : Southall	

INDEX

Abbey Av. *Wemb* —6A **28**
Abbey Clo. *Pinn* —5B **12**
Abbeydale Rd. *Wemb* —5B **28**
Abbeyfields Clo. *NW10* —6C **28**
Abbey Ind. Est. *Wemb* —5B **28**
Abbey Rd. *NW10* —5D **28**
Abbey Vw. *NW7* —4H **9**
Abbotsbury Gdns. *Pinn* —3C **18**
Abbots Clo. *Ruis* —6D **18**
Abbots Dri. *Harr* —5G **19**
Abbots Rd. *Edgw* —2E **17**
Abbott Clo. *N'holt* —3F **25**
Abbotts Dri. *Wemb* —5F **21**
Abercorn Commercial Cen. *Wemb*
—5H **27**
Abercorn Cres. *Harr* —4H **19**
Abercorn Gdns. *Harr* —3H **21**
Abercorn Gro. *Ruis* —6F **11**
Abercorn Rd. *Stan* —2G **15**
Aberdeen Cotts. *Stan* —2G **15**
Aberdeen Rd. *NW10* —2H **29**
Aberdeen Rd. *Harr* —4D **14**
Aboyne Rd. *NW10* —6G **23**
Acacia Av. *Ruis* —4A **18**

Acacia Av. *Wemb* —2A **28**
Acacia Clo. *Stan* —1C **14**
Acacia Ct. *Harr* —1H **19**
Academy Gdns. *N'holt* —6D **24**
Acklington St. *NW9* —3G **17**
Acock Gro. *N'holt* —1H **25**
Acol Cres. *Ruis* —2B **24**
Acorn Clo. *Stan* —2F **15**
Acre Path. N'holt —3E **25**
(off Arnold Rd.)
Acre Way. *N'wd* —3H **11**
Acton La. *NW10* —6F **29**
Adams Bri. Bus. Cen. *Wemb*
—2D **28**
Adams Clo. *NW9* —5D **22**
Ada Rd. *Wemb* —6H **21**
Adderley Rd. *Harr* —3D **14**
Addiscombe Clo. *Harr* —1G **21**
Addison Clo. *N'wd* —3A **12**
Addison Way. *N'wd* —3H **11**
Adelaide Clo. *Stan* —5E **7**
Adhara Rd. *N'wd* —6H **3**
Aerodrome Rd. *NW9 & NW4*
—5H **17**

Aeroville. *NW9* —4G **17**
Ainsdale Cres. *Pinn* —5G **13**
Ainsdale Rd. *Wat* —4C **4**
Ainslie Ct. *Wemb* —6A **28**
Aintree Rd. *Gnfd* —6F **27**
Air Call Bus. Cen. *NW9* —5F **17**
Ajax Av. *NW9* —5G **17**
Alandale Dri. *Pinn* —3B **12**
Albany Clo. *Bush* —1B **6**
Albany Ct. *NW9* —3F **17**
Albany Cres. *Edgw* —2C **16**
Albatross. *NW9* —4H **17**
Albemarle Pk. *Stan* —6G **7**
Albert Rd. *NW7* —6H **9**
Albert Rd. *Harr* —5A **14**
Albert Ter. *NW10* —5E **29**
Albion Way. *Wemb* —6C **22**
Albury Dri. *Pinn* —3C **12**
Alcuin Ct. *Stan* —2G **15**
Aldbury Av. *Wemb* —4D **28**
Alden Mead. *Pinn* —1G **13**
(off Avenue, The)
Alderney Gdns. *N'holt* —4F **25**
Alders Clo. *Edgw* —6E **9**

Alders Rd. *Edgw* —6E **9**
Alderton Clo. *NW10* —6F **23**
Aldridge Av. *Edgw* —4D **8**
Aldridge Av. *Ruis* —5C **18**
Aldridge Av. *Stan* —3A **16**
Alexander Ct. *Stan* —5B **16**
Alexandra Av. *Harr* —4F **19**
Alexandra Clo. *Harr* —6G **19**
Alexandra Ct. *Gnfd* —6H **25**
Alexandra Pde. *Harr* —1H **25**
Alfred Nunn Ho. *NW10* —5H **29**
Alfriston Av. *Harr* —2G **19**
Algar Clo. *Stan* —6D **6**
Algernon Rd. *NW4* —2H **23**
Alicia Av. *Harr* —6F **15**
Alicia Clo. *Harr* —1G **21**
Alicia Gdns. *Harr* —6F **15**
Alington Cres. *NW9* —1A **23**
Allard Cres. *Bus H* —2A **6**
Allen Ct. *Gnfd* —2D **26**
Allendale Rd. *Gnfd* —3F **27**
Allerford Ct. *Harr* —1A **20**
Alliance Clo. *Wemb* —1H **27**
Allington Clo. *Gnfd* —4A **26**

Allington Rd. *Harr* —1A **20**
Allonby Gdns. *Wemb* —4G **21**
All Saints M. *Harr* —1C **14**
Alma Ct. *Harr* —5B **20**
Alma Row. *Harr* —3B **14**
Almond Clo. *Ruis* —6A **18**
Almond Way. *Harr* —4H **13**
Alperton. —6A 28
Alperton La. *Gnfd & Wemb* —6G **27**
Alpine Wlk. *Stan* —3C **6**
Alric Av. *NW10* —4F **29**
Altair Way. *N'wd* —5H **3**
Altham Ct. *Harr* —3H **13**
Altham Rd. *Pinn* —2E **13**
Althorp Clo. *Barn* —1H **9**
Althorpe Rd. *Harr* —1A **20**
Alton Av. *Stan* —2D **14**
Alva Way. *Wat* —3D **4**
Alverstone Rd. *Wemb* —4B **22**
Alveston Av. *Harr* —5F **15**
Amberley Clo. *Pinn* —5F **13**
Ambleside Gdns. *Wemb* —4H **21**
Ambleside Rd. *NW10* —4H **29**
Amersham Ho. *Wat* —1G **3**
  (off Chenies Way)
Amery Rd. *Harr* —5E **21**
Ammanford Grn. *NW9* —2G **23**
Amroth Grn. *NW9* —2G **23**
Amunsden Ho. *NW10* —4F **29**
  (off Stonebridge Pk.)
Amy Johnson Ct. *Edgw* —4D **16**
Ancona Rd. *NW10* —6H **29**
Ander Clo. *Wemb* —1H **27**
Andrews Clo. *Harr* —3B **20**
Angel Rd. *Harr* —2C **20**
Anglesey Rd. *Wat* —6C **4**
Anglesmede Cres. *Pinn* —5G **13**
Anglesmede Way. *Pinn* —5G **13**
Angus Dri. *Ruis* —1C **24**
Angus Gdns. *NW9* —3F **17**
Anmersh Gro. *Stan* —3H **15**
Annesley Av. *NW9* —5F **17**
Annesley Clo. *NW10* —6G **23**
Annette Clo. *Harr* —4C **14**
Anselm Rd. *Pinn* —2F **13**
Anson Ter. *N'holt* —3H **25**
Anson Wlk. *N'wd* —5E **3**
Anthony Clo. *NW7* —5G **9**
Anthony Clo. *Wat* —2C **4**
Anthony Rd. *Gnfd* —6C **26**
Anthus M. *N'wd* —2G **11**
Antoneys Clo. *Pinn* —4D **12**
Apex Pde. *NW7* —5F **9**
  (off Selvage La.)
Apollo Av. *N'wd* —6A **4**
Appledore Av. *Ruis* —6B **18**
Appledore Clo. *Harr* —3C **16**
Approach Rd. *Edgw* —1C **16**
Apsley Clo. *Harr* —1A **20**
Apsley Way. *NW2* —5H **23**
Aquarius Way. *N'wd* —6A **4**
Aquila Clo. *N'wd* —5A **4**
Aragon Dri. *Ruis* —4D **18**
Aran Dri. *Stan* —5G **7**
Arbroath Grn. *Wat* —4A **4**
Archdale Bus. Cen. *Harr* —5A **20**
Archery Clo. *Harr* —5D **14**
Arches, The. *Harr* —5H **19**
Arden Clo. *Bus H* —1D **6**
Arden Clo. *Harr* —6B **20**
Arden Mhor. *Pinn* —6B **12**
Ardley Clo. *NW10* —6G **23**
Ardross Av. *N'wd* —6G **3**
Argenta Way. *Wemb & NW10*
  —3C **28**
Argyle Rd. *Gnfd & W13* —6D **26**
Argyle Rd. *Harr* —2H **19**
Argyll Gdns. *Edgw* —4D **16**
Arliss Way. *N'holt* —5C **24**
Armstrong Clo. *Pinn* —2A **18**
Arnold Clo. *Harr* —3B **22**
Arnold Ter. *Stan* —3E **15**
Arnold Ter. *Stan* —6D **6**
Arnside Gdns. *Wemb* —4H **21**
Arran Ct. *NW9* —4H **17**
Arran Ct. *NW10* —6F **23**

Arran Grn. *Wat* —5D **4**
Artesian Clo. *NW10* —4F **29**
Artillery Pl. *Harr* —2A **14**
Arundel Ct. *S Harr* —1G **25**
Arundel Dri. *Harr* —1F **25**
Arundel Gdns. *Edgw* —2F **17**
Ascot Clo. *N'holt* —2G **25**
Ascot Pl. *Stan* —6G **7**
Ascott Ct. *Pinn* —6A **12**
Ashbourne Av. *Harr* —2H **25**
Ashbourne Gro. *NW7* —6F **9**
Ashbourne Sq. *N'wd* —1G **11**
Ashbrook. *Edgw* —1B **16**
Ashburnham Av. *Harr* —2D **20**
Ashburnham Clo. *Wat* —4A **4**
Ashburnham Ct. *Pinn* —5D **12**
Ashburnham Dri. *Wat* —4A **4**
Ashburnham Gdns. *Harr* —2D **20**
Ashburton Rd. *Ruis* —5A **18**
Ash Clo. *Edgw* —5E **9**
Ash Clo. *Hare* —3A **10**
Ash Clo. *Stan* —1E **15**
Ashcombe Gdns. *Edgw* —5C **8**
Ashcombe Pk. *NW2* —6G **23**
Ash Cft. *Pinn* —1G **13**
Ashdale Gro. *Stan* —1D **14**
Ashdene. *Pinn* —5C **12**
Ashdon Rd. *NW10* —5H **29**
Ashfield Av. *Bush* —1H **5**
Ashford Ct. *Edgw* —4D **8**
Ashford Grn. *Wat* —6D **4**
Ash Gro. *Hare* —3A **10**
Ash Gro. *Wemb* —1E **27**
Ash Hill Clo. *Bush* —1B **6**
Ash Hill Dri. *Pinn* —5C **12**
Ashley Clo. *Pinn* —4B **12**
Ashley Ct. *NW9* —4H **17**
  (off Guilfoyle)
Ashley Ct. *N'holt* —5E **25**
Ashley Gdns. *Wemb* —5A **22**
Ashneal Gdns. *Harr* —6B **20**
Ashness Gdns. *Gnfd* —3F **27**
Ashridge Clo. *Harr* —2G **21**
Ashridge Dri. *Wat* —6C **4**
Ashridge Gdns. *Pinn* —6E **13**
Ashridge Ho. *Wat* —1G **3**
  (off Chenies Way)
Ashton Ct. *Harr* —6D **20**
Ashtree Dell. *NW9* —1F **23**
Ashurst Clo. *N'wd* —2G **11**
Ash Wlk. *Wemb* —6G **21**
Ashwood Ho. *H End* —1G **13**
  (off Avenue, The)
Askew Rd. *N'wd* —3F **3**
Aspen Dri. *Wemb* —6E **21**
Ass Ho. La. *Harr* —5H **5**
Astall Clo. *Harr* —5C **14**
Aston Av. *Harr* —3G **21**
Astons Rd. *N'wd* —4E **3**
Atcraft Cen. *Wemb* —5A **28**
Athelstone Rd. *Harr* —4B **14**
Athena Clo. *Harr* —5B **20**
Athena Pl. *N'wd* —3H **11**
Atherton Heights. *Wemb* —3G **27**
Atherton Pl. *Harr* —5B **14**
Athlon Ind. Est. *Wemb* —5H **27**
Athlon Rd. *Wemb* —6H **27**
Athol Clo. *Pinn* —3B **12**
Athol Gdns. *Pinn* —3B **12**
Atlas Rd. *Wemb* —1E **29**
Atlip Rd. *Wemb* —5A **28**
Atria Rd. *N'wd* —6A **4**
Attenborough Clo. *Wat* —4E **5**
Attewood Av. *NW10* —6G **23**
Attewood Rd. *N'holt* —3E **25**
Audax. *NW9* —4H **17**
Audley Ct. *Pinn* —4C **12**
Audrey Gdns. *Wemb* —5F **21**
Augustine Rd. *Harr* —3H **13**
Auriol Ct. *Gnfd* —4B **26**
Austell Gdns. *NW7* —4G **9**
Austen Rd. *Harr* —5H **19**
Avenue Rd. *NW10* —6H **29**
Avenue Rd. *Pinn* —5E **13**
Avenue Ter. *Wat* —1E **5**
Avenue, The. *Harr* —3D **14**

Avenue, The. *H End* —1F **13**
Avenue, The. *N'wd* —1E **11**
Avenue, The. *Pinn* —3F **19**
Avenue, The. *Wemb* —4A **22**
Avion Cres. *NW9* —3H **17**
Avior Dri. *N'wd* —5H **3**
Avondale Av. *NW2* —6G **23**
Avondale Rd. *Harr* —5D **14**
Avon M. *Pinn* —2F **13**
Axholme Av. *Edgw* —3C **16**
Aylands Clo. *Wemb* —5A **8**
Aylesbury St. *NW10* —6F **23**
Aylesham Clo. *NW7* —2H **17**
Aylmer Clo. *Stan* —3E **7**
Aylmer Dri. *Stan* —5E **7**
Aylwards Ri. *Stan* —3E **7**
Ayres Cres. *NW10* —4F **29**
Azalea Wlk. *Pinn* —1B **18**

Babington Ri. *Wemb* —3C **28**
Back La. *Edgw* —3E **17**
Bacon La. *NW9* —6D **16**
Bacon La. *Edgw* —3C **16**
Badgers Clo. *Harr* —2B **20**
Badminton Clo. *Harr* —6C **14**
Badminton Clo. *N'holt* —3G **25**
Baird Clo. *NW9* —2E **23**
Baird Clo. *Bush* —1H **5**
Baker Pass. *NW10* —5G **29**
Baker Rd. *NW10* —5G **29**
Bakery Path. *Edgw* —1D **16**
  (off St Margaret's Rd.)
Balfour Rd. *Harr* —1B **20**
Ballards M. *Edgw* —1C **16**
Ballards Rd. *NW2* —5H **23**
Ballater Clo. *Wat* —5C **4**
Ballogie Av. *NW10* —1G **29**
Balmoral Ct. *Wemb* —6B **22**
Balmoral Rd. *Harr* —1G **25**
Balnacraig Av. *NW10* —1G **29**
Bamford Av. *Wemb* —5B **28**
Banbury Wlk. *N'holt* —6G **25**
  (off Brabazon Rd.)
Bancroft Ct. *N'holt* —5C **24**
Bancroft Gdns. *Harr* —3A **14**
Bancroft Rd. *Harr* —4A **14**
Bangor Clo. *N'holt* —2H **25**
Bankside Av. *N'holt* —6A **24**
Bannister Clo. *Gnfd* —2B **26**
Banstock Rd. *Edgw* —6D **8**
Barchester Rd. *Harr* —4B **14**
Barham Clo. *Wemb* —3F **27**
Barker Clo. *N'wd* —2H **11**
Barmor Clo. *Harr* —4H **13**
Barmouth Av. *Gnfd* —6D **26**
Barnaby Clo. *Harr* —5A **20**
Barnaby Ct. *NW9* —5G **17**
Barn Cres. *Stan* —6H **15**
Barnes Wallis Ct. *Wemb* —6E **23**
Barnet By-Pass. *NW7* —1H **17**
Barnet Gate. —1G 9
Barnet Ga. La. *Barn* —1H **9**
Barnet La. *Els & Borwd* —1A **8**
Barnet Rd. *Ark & Barn* —1G **9**
Barnetts Ct. *Harr* —6H **19**
Barnet Way. *NW7* —4F **9**
Barnfield Rd. *Edgw* —3E **17**
Barnham Rd. *Gnfd* —6A **26**
Barnhill. *Pinn* —1C **18**
Barn Hill. *Wemb* —4C **22**
Barnhill Rd. *Wemb* —6E **23**
Barnhurst Path. *Wat* —6C **4**
Barningham Way. *NW9* —2F **23**
Barn M. *S Harr* —6G **19**
Barn Ri. *Wemb* —4C **22**
Barnstaple Rd. *Ruis* —6C **18**
Barn Way. *Wemb* —4C **22**
Barons Mead. *Harr* —6C **14**
Barratt Way. *Harr* —4B **14**
Barrett's Grn. Rd. *NW10* —6E **29**
Barrow Point Av. *Pinn* —4E **13**

Barrow Point La. *Pinn* —4E **13**
Barrs Rd. *NW10* —4F **29**
Barry Rd. *NW10* —6F **29**
Barters Wlk. *Pinn* —5E **13**
Bartholomew Ct. *Edgw* —2H **15**
Basing Hill. *Wemb* —5B **22**
Baskerville Gdns. *NW10* —1G **29**
Baslow Clo. *Harr* —3B **14**
Bassingham Rd. *Wemb* —3H **27**
Batchworth. —3A 2
Batchworth Golf Course. —4A 2
Batchworth Heath. —5C 2
Batchworth Heath Hill. *Rick* —5C **2**
Batchworth Hill. *Rick* —3A **2**
  (in two parts)
Batchworth La. *N'wd* —6E **3**
Battle of Britain Hall. —4H 17
Baycroft Clo. *Pinn* —5C **12**
Bayhurst Dri. *N'wd* —1H **11**
Bayhurst Wood Country Pk. —6B 10
Bays Ct. *Edgw* —6D **8**
Bayshill Ri. *N'holt* —3H **25**
Beaconsfield Rd. *NW10* —3H **29**
Beamish Dri. *Bus H* —2A **6**
Beatrice Av. *Wemb* —2A **28**
Beatrice Clo. *Pinn* —6A **12**
Beatty Rd. *Stan* —1G **15**
Beauchamp Ct. *Stan* —6G **7**
Beaufort Av. *Harr* —6E **15**
Beaulieu Clo. *NW9* —6G **17**
Beaulieu Clo. *Wat* —2C **4**
Beaulieu Dri. *Pinn* —2D **18**
Beaumaris Grn. *NW9* —2G **23**
Beaumont Av. *Harr* —2H **19**
Beaumont Av. *Wemb* —2G **27**
Beaumont M. *Pinn* —5E **13**
Beauvais Ter. *N'holt* —6D **24**
Bec Clo. *Ruis* —6D **18**
Becket Fold. *Harr* —1D **20**
Beckett Clo. *NW10* —3G **29**
Becmead Av. *Harr* —1F **21**
Bede Clo. *Pinn* —3D **12**
Bedford Rd. *NW7* —3G **9**
Bedford Rd. *Harr* —2A **20**
Bedford Rd. *N'wd* —4E **3**
Bedford Rd. *Ruis* —1A **24**
Bedser Dri. *Gnfd* —2B **26**
Beech Av. *Ruis* —4B **18**
Beech Ct. *N'holt* —5E **25**
Beech Ct. *N'wd* —2G **11**
Beechcroft Av. *Harr* —3G **19**
Beechcroft Gdns. *Wemb* —6B **22**
Beechen Gro. *Pinn* —5F **13**
Beech Tree Clo. *Stan* —6G **7**
Beech Wlk. *NW7* —1G **17**
Beech Way. *NW10* —4F **29**
Beechwood Av. *Gnfd* —6H **25**
Beechwood Av. *Harr* —6H **19**
Beechwood Circ. *Harr* —6H **19**
Beechwood Clo. *NW7* —6G **9**
Beechwood Gdns. *Harr* —6H **19**
Beehive Clo. *Els* —1H **7**
Beeston Clo. *Wat* —5D **4**
Beethoven Rd. *Els* —1H **7**
Beeton Clo. *Pinn* —2G **13**
Belfairs Grn. *Wat* —6D **4**
Belgrave Clo. *NW7* —6F **9**
Belgrave Gdns. *Stan* —6G **7**
Bellamy Clo. *Edgw* —3E **9**
Bellamy Ct. *Stan* —3F **15**
Bellamy Dri. *Stan* —3F **15**
Bell Clo. *Pinn* —4C **12**
Bell Clo. *Ruis* —6A **18**
Belle Vue. *Gnfd* —5B **26**
Bellevue La. *Bus H* —2B **6**
Bellfield Av. *Harr* —1B **14**
Bell La. *Wemb* —6H **21**
Belmont. —4F 15
Belmont Av. *Wemb* —5B **28**
Belmont Circ. *Harr* —3F **15**
Belmont La. *Stan* —3G **15**
Belmont Lodge. *Har W* —2B **14**
Belmont Rd. *Harr* —2B **14**
Belsize Rd. *Harr* —2B **14**
Belvedere Strand. *NW9* —4H **17**
Belvedere Way. *Harr* —2A **22**

Bunting Ct. *NW9* —4G **17**
Burchell Ct. *Bush* —1A **6**
Burgess Av. *NW9* —2F **23**
Burhill Gro. *Pinn* —4E **13**
Burlington Clo. *Pinn* —5B **12**
Burnell Gdns. *Stan* —4H **15**
Burnham Clo. *NW7* —2H **17**
Burnham Clo. *N'wood* —6E **15**
Burnley Clo. *Wat* —6C **4**
Burnley Rd. *NW10* —2H **29**
Burnside Cres. *Wemb* —5H **27**
Burns Rd. *NW10* —5H **29**
Burns Rd. *Wemb* —6A **28**
Burnt Oak. —4E 17
Burnt Oak B'way. *Edgw* —2D **16**
Burnt Oak Fields. *Edgw* —3E **17**
Burrell Clo. *Edgw* —3D **8**
Burwell Av. *Gnfd* —3C **26**
Burwood Av. *Pinn* —1B **18**
Bury La. *Rick* —2A **2**
Bury Meadows. *Rick* —2A **2**
Bury, The. *Rick* —2A **2**
Bushell Grn. *Bus H* —3B **6**
Bushey. —1H 5
BUSHEY BUPA HOSPITAL. —1D **6**
Bushey Golf & Country Club.
—1G **5**
Bushey Heath. —2B 6
Bushfield Clo. *Edgw* —3D **8**
Bushfield Cres. *Edgw* —3D **8**
Bush Gro. *NW9* —3E **23**
Bush Gro. *Stan* —3H **15**
Bush Hill Rd. *Harr* —2B **22**
Butler Av. *Harr* —3B **20**
Butler Ct. *Wemb* —1E **27**
Butler Rd. *NW10* —4H **29**
Butler Rd. *Harr* —3A **20**
Buttsmead. *N'wd* —2E **11**
Butts Piece. *N'holt* —6B **24**
Buxton Path. *Wat* —4C **4**
Bye Way, The. *Harr* —3C **14**
Byeway, The. *Rick* —3A **2**
Byfleet Ind. Est. *Crox G* —2E **3**
Byron Av. *NW9* —6D **16**
Byron Ct. *Harr* —2C **20**
Byron Hill Rd. *Harr* —4B **20**
Byron Rd. *NW7* —6H **9**
Byron Rd. *Harr* —2C **20**
Byron Rd. *W'stone* —3D **14**
Byron Rd. *Wemb* —5G **21**
By the Wood. *Wat* —3D **4**

Caddis Clo. *Stan* —2D **14**
Cadogan Clo. *Harr* —1H **25**
Cairnfield Av. *NW2* —6G **23**
Cairn Way. *Stan* —1D **14**
Caldecote Gdns. *Bush* —1C **6**
Caldecote Hill. —1D 6
Caldecote La. *Bush* —1D **6**
Caldecote Towers. *Bush* —1C **6**
Calder Av. *Gnfd* —6D **26**
Calder Gdns. *Edgw* —5C **16**
Caldicot Grn. *NW9* —2G **23**
Caldwell Rd. *Wat* —5D **4**
California La. *Bus H* —2B **6**
California Pl. Bush —2B 6
(off High Rd.)
Callanders, The. *Bush* —2C **6**
Calthorpe Gdns. *Edgw* —6A **8**
Calverley Gdns. *Harr* —3H **21**
Cambrian Grn. NW9 —1G 23
(off Snowden Dri.)
Cambridge Av. *Gnfd* —2D **26**
Cambridge Clo. *NW10* —6E **23**
Cambridge Dri. *Ruis* —5C **18**
Cambridge Rd. *Harr* —1G **19**
Camden Row. *Pinn* —5C **12**
Campbell Clo. *Ruis* —2A **18**
Campbell Cft. *Edgw* —6C **8**
Campden Cres. *Wemb* —6F **21**
Campion Clo. *Harr* —2B **22**
Campion Ct. *Wemb* —6A **28**
Campion Way. *Edgw* —5E **9**
Camplin Rd. *Harr* —1A **22**
Camrose Av. *Edgw* —4B **16**

Canfield Dri. *Ruis* —2B **24**
Canford Av. *N'holt* —5F **25**
Canning Rd. *Harr* —5C **14**
Cannonbury Av. *Pinn* —2D **18**
Cannon La. *Pinn* —1E **19**
Cannon Trad. Est. *Wemb* —1D **28**
Canons Clo. *Edgw* —1B **16**
Canons Corner. *Edgw* —5A **8**
Canons Ct. *Edgw* —1B **16**
Canons Dri. *Edgw* —1A **16**
Canons Park. —2H 15
Canons Pk. —1A **16**
Canons Pk. *Stan* —1H **15**
Canons Pk. Clo. *Edgw* —2A **16**
Canopus Way. *N'wd* —5A **4**
Canterbury Clo. *N'wd* —1H **11**
Canterbury Ct. *NW9* —4G **17**
Canterbury Rd. *Harr* —1H **19**
Capel Gdns. *Pinn* —6F **13**
Capella Rd. *N'wd* —5H **3**
Capital Bus. Cen. *Wemb* —6H **27**
Capitol Ind. Pk. *NW9* —5E **17**
Capitol Way. *NW9* —5E **17**
Caple Rd. *NW10* —6H **29**
Capthorne Av. *Harr* —4E **19**
Capuchin Clo. *Stan* —6F **15**
Caractacus Cottage Vw. *Wat* —1A **4**
Caractacus Grn. *Wat* —1H **3**
Caravan La. *Rick* —1A **2**
Cardinal Av. *Edgw* —2F **17**
Cardinal Rd. *Ruis* —4D **18**
Cardinal Way. *Harr* —5C **14**
Carew Rd. *N'wd* —1G **11**
Carew Way. *Wat* —4F **5**
Carey Way. *Wemb* —1D **28**
Cargrey Ho. *Stan* —6G **7**
Carisbrooke Clo. *Stan* —4H **15**
Carisbrooke Ct. N'holt —5F 25
(off Eskdale Av.)
Carlisle Clo. *Pinn* —4E **19**
Carlisle Gdns. *Harr* —3H **21**
Carlisle Rd. *NW9* —5E **17**
Carlton Av. *Harr* —1F **21**
Carlton Av. E. *Wemb* —5H **21**
Carlton Av. W. *Wemb* —5F **21**
Carlton Clo. *Edgw* —6C **8**
Carlton Clo. *N'holt* —2A **26**
Carlton Pde. *Wemb* —5A **22**
Carlton Pl. *N'wd* —6D **2**
Carlyle Pl. *NW10* —5F **29**
Carlyon Av. *Harr* —1F **25**
Carlyon Clo. *Wemb* —5A **28**
Carlyon Rd. *Wemb* —6A **28**
Carmarthen Grn. *NW9* —1G **23**
Carmelite Clo. *Harr* —3A **14**
Carmelite Rd. *Harr* —3A **14**
Carmelite Wlk. *Harr* —3A **14**
Carmelite Way. *Harr* —4A **14**
Carmichael Clo. *Ruis* —1A **24**
Carnegie Rd. *Harr* —3D **20**
Caroline Ct. *Stan* —1E **15**
Carpenders Av. *Wat* —4E **5**
Carpenders Park. —4D 4
Carrington Sq. *Harr* —1A **14**
Carr Rd. *N'holt* —3G **25**
Cartmel Ct. *N'holt* —3E **25**
Cassandra Clo. *Harr* —1B **26**
Casselden Rd. *NW10* —4F **29**
Castellane Clo. *Stan* —2D **14**
Castle Rd. *N'holt* —3H **25**
Castleton Av. *Wemb* —1A **28**
Castleton Gdns. *Wemb* —6A **22**
Castleton Rd. *Ruis* —4D **18**
Cathay Wlk. N'holt —6G 25
(off Brabazon Rd.)
Catherine Pl. *Harr* —1D **20**
Catlin's La. *Pinn* —5B **12**
Catsey La. *Bush* —1A **6**
Catsey Wood. *Bush* —1A **6**
Cavan Pl. *Pinn* —3F **13**
Cavendish Av. *Harr* —1B **26**
Cavendish Av. *Ruis* —2B **24**
Cavendish Dri. *Edgw* —1B **16**
Caxton Way. *Wat* —1F **3**
Cayton Rd. *Gnfd* —6C **26**
Cecil Av. *Wemb* —2B **28**

Cecil Pk. *Pinn* —6E **13**
Cecil Rd. *NW9* —5G **17**
Cecil Rd. *NW10* —6G **29**
Cecil Rd. *Harr* —5C **14**
Cecil Rosen Ct. *Wemb* —6F **21**
Cedar Av. *Ruis* —2C **24**
Cedar Dri. *Pinn* —1G **13**
Cedar Pl. *N'wd* —1G **11**
Cedar Rd. *Wat* —1C **4**
Centennial Av. *Borwd & Els* —1G **7**
Centennial Pk. *Els* —1G **7**
Central Av. *Pinn* —2F **19**
Central Bus. Cen. *NW10* —2G **29**
Central Pde. *Gnfd* —6E **27**
Central Pde. *Harr* —1D **20**
Central Rd. *Wemb* —6A **18**
Central Sq. *Wemb* —2A **28**
Central Way. *NW10* —6E **29**
Central Way. *N'wd* —2G **11**
Century Ct. *Wat* —1E **3**
Cervantes Ct. *N'wd* —2H **11**
Chadbury Ct. *NW7* —2H **17**
Chadwick Rd. *NW10* —5H **29**
Chaffinch La. *Wat* —1H **3**
Chalet Est. *NW7* —5H **9**
Chalfont Av. *Wemb* —3D **28**
Chalfont Ct. *NW9* —5H **17**
Chalfont Ct. Harr —2D 20
(off Northwick Pk. Rd.)
Chalfont Ho. *Wat* —1G **3**
Chalfont Wlk. *Pinn* —4C **12**
Chalkhill Rd. *Wemb* —6C **22**
(in two parts)
Chalklands. *Wemb* —6E **23**
Challenge Clo. *NW10* —5G **29**
Chamberlain La. *Pinn* —6A **12**
Chamberlain Way. *Pinn* —5B **12**
Chamberlayne Av. *Wemb* —6A **22**
Champneys. *Wat* —3E **5**
Chancel Ind. Est. *NW10* —2H **29**
Chancellor Pl. *NW9* —4H **17**
Chandos Ct. *Edgw* —2B **16**
Chandos Cres. *Edgw* —2B **16**
Chandos Pde. *Edgw* —2B **16**
Chandos Rd. *Harr* —1A **20**
Chandos Rd. *Pinn* —3D **18**
Chantry Clo. *NW7* —1H **9**
Chantry Clo. *Harr* —1B **22**
Chantry Pl. *Harr* —3H **13**
Chantry Rd. *Harr* —3H **13**
Chapel La. *Pinn* —5D **12**
Chaplin Clo. *Wemb* —3H **27**
Chaplin Rd. *Wemb* —3G **27**
Chapman Cres. *Harr* —2A **22**
Chapmans Pk. Ind. Est. *NW10*
—3H **29**
Chapter Rd. *NW2* —2H **29**
Charlbury Av. *Stan* —6H **7**
Charles Cres. *Harr* —3B **20**
(in two parts)
Charlock Way. *Wat* —1A **4**
Charlotte Pl. *NW9* —1E **23**
Charlton Rd. *NW10* —5G **29**
Charlton Rd. *Harr* —6H **15**
Charlton Rd. *Wemb* —4B **22**
Charlwood Clo. *Harr* —1C **14**
Charmian Av. *Stan* —5H **15**
Charterhouse Av. *Wemb* —1G **27**
Chartley Av. *NW2* —6G **23**
Chartley Av. *Stan* —1D **14**
Chartres Ct. *Gnfd* —6B **26**
Chartridge. *Wat* —3D **4**
Chartwell Clo. *Gnfd* —5H **25**
Chartwell Pl. *Harr* —5B **20**
Chartwell Rd. *N'wd* —1H **11**
Charville Ct. *Harr* —2D **20**
Chase, The. *Eastc* —2C **18**
Chase, The. *Edgw* —3D **16**
Chase, The. *Pinn* —6F **13**
Chase, The. *Stan* —4H **15**
Chasewood Av. *NW7* —6F **9**
Chasewood Pk. *Harr* —6D **20**
Chatsworth Av. *Wemb* —2B **28**
Chatsworth Ct. *Stan* —6G **7**
Chatsworth Gdns. *Harr* —4H **19**
Chelmsine Ct. *Ruis* —6E **11**

Chelsea Clo. *NW10* —5F **29**
Chelsea Clo. *Edgw* —4C **16**
Chelston App. *Ruis* —5A **18**
Chelston Rd. *Ruis* —4A **18**
Cheltenham Clo. *N'holt* —3H **25**
Cheltenham Ct. Stan —6G 7
(off Marsh La.)
Cheltenham Pl. *Harr* —6A **16**
Chelwood Clo. *N'wd* —2E **11**
Chenduit Way. *Stan* —6D **6**
Cheney St. *Pinn* —6C **12**
Chenies Way. *Wat* —1G **3**
Chequers Clo. *NW9* —5G **17**
Chequers, The. *Pinn* —5D **12**
Cherchefelle M. *Stan* —6F **7**
Cherry Clo. *Ruis* —6A **18**
Cherry Ct. *Pinn* —4D **12**
Cherrycroft Gdns. *Pinn* —2F **13**
Cherry Gdns. *N'holt* —4H **25**
Cherry Hill. *Harr* —1D **14**
Cherry Hills. *Wat* —6E **5**
Cherrylands Clo. *NW9* —5E **23**
Cherry Tree Clo. *Wemb* —4C **28**
Cherry Tree Ct. *NW9* —6E **17**
Cherrytree Way. *Stan* —1F **15**
Chesham Ct. *N'wd* —1H **11**
Chesham St. *NW10* —6F **23**
Chessington Ct. *Pinn* —6F **13**
Chesswood Ct. *Rick* —2A **2**
Chesswood Way. *Pinn* —4D **12**
Chester Dri. *Harr* —2F **19**
Chester Pl. N'wd —2G 11
(off Green La.)
Chester Rd. *N'wd* —2G **11**
Chesterton Clo. *Gnfd* —6H **25**
Chestnut Av. *Edgw* —1A **16**
Chestnut Av. *Harr* —4H **11**
Chestnut Av. *Wemb* —2F **27**
Chestnut Dri. *Harr* —2D **14**
Chestnut Gro. *Wemb* —6E **27**
Chestnut Ri. *Bush* —1H **5**
Chestnuts, The. *Pinn* —2F **13**
Chevalier Clo. *Stan* —5A **8**
Cheyneys Av. *Edgw* —1H **15**
Chicheley Gdns. *Harr* —2A **14**
(in two parts)
Chicheley Rd. *Harr* —2A **14**
Chichester Ct. N'wd —1C 16
(off Whitchurch La.)
Chichester Ct. *N'holt* —5E **25**
Chichester Ct. *Stan* —5A **16**
Chidbrook Ho. *Wat* —1G **3**
Chigwell Hurst Ct. *Pinn* —5D **12**
Chilham Ct. *Gnfd* —6E **27**
Chiltern Av. *Bush* —1A **6**
Chiltern Ct. *Harr* —1B **20**
Chiltern Rd. *Pinn* —1C **18**
Chilton Rd. *Edgw* —1C **16**
Chilwell Gdns. *Wat* —5C **4**
Chine, The. *Wemb* —2F **27**
Chinnor Cres. *Gnfd* —6H **25**
Chippenham Av. *Wemb* —2D **28**
Chippenham Clo. *Pinn* —6H **11**
Chirdland Ho. *Wat* —1G **3**
Chiswick Ct. *Pinn* —5F **13**
Cholmondeley Av. *NW10* —6H **29**
Christchurch Av. *Harr* —6D **14**
Christchurch Av. *Wemb* —3A **28**
Christchurch Ct. *NW10* —5G **29**
Christchurch Gdns. *Harr* —6E **15**
Christchurch Grn. *Wemb* —3A **28**
Chudleigh Way. *Ruis* —4A **18**
Church Av. *N'holt* —4F **25**
Church Av. *Pinn* —2E **19**
Church Clo. *Edgw* —6C **9**
Church Clo. *N'wd* —2H **11**
Church Dri. *NW9* —4F **23**
Church Dri. *Harr* —2G **19**
Church End. —3G 29
Churchfield Clo. *Harr* —6A **14**
Church Gdns. *Wemb* —1E **27**
Church Hill. *Harr* —4C **20**
Churchill Av. *Harr* —2F **21**
Churchill Ct. *N'holt* —2G **25**
Churchill Ct. *Pinn* —1F **11**

Churchill Ct. *Pinn* —3E **13**
Churchill Ct. *S Harr* —1H **19**
Churchill Pl. *Harr* —6C **14**
Churchill Rd. *Edgw* —1B **16**
Church La. *NW9* —2E **23**
Church La. *Harr* —3D **14**
Church La. *Pinn* —5E **13**
Churchmead Rd. *NW10* —3H **29**
Church Path. *NW10* —4G **29**
Church Rd. *NW10* —4G **29**
Church Rd. *N'holt* —6D **24**
Church Rd. *N'wd* —2H **11**
Church Rd. *Stan* —6F **7**
Church St. *Rick* —2A **2**
Church Wlk. *NW9* —5F **23**
Church Way. *Edgw* —1C **16**
Circle, The. *NW2* —6G **23**
Circle, The. *NW7* —1F **17**
Circuits, The. *Pinn* —6C **12**
Civic Way. *Ruis* —2D **24**
Claire Ct. *Bush* —2B **6**
Claire Ct. *Pinn* —2F **13**
Claire Gdns. *Stan* —6G **7**
Claire Ho. Edgw —4E **17**
(off Burnt Oak B'way.)
Clamp Hill. *Stan* —5B **6**
Claremont Av. *Harr* —1A **22**
Claremont Rd. *Harr* —4C **14**
Clarence Clo. *Bus H* —1D **6**
Clarence Ct. *NW7* —6G **9**
Clarendon Gdns. *Wemb* —6H **21**
Clarendon Rd. *Harr* —2C **20**
Clare Rd. *Gnfd* —3B **26**
Clark Ct. *NW10* —4E **29**
Clarks Mead. *Bush* —1A **6**
Clauson Av. *N'holt* —2H **25**
Claybury. *Bush* —1H **5**
Clay La. *Bus H* —1C **6**
Clay La. *Edgw* —3C **8**
Clayton Av. *Wemb* —4A **28**
Clayton Fld. *NW9* —2G **17**
CLEMENTINE CHURCHILL
    HOSPITAL, THE. —6D **20**
Cleveley Cres. *W5* —6A **28**
Cleves Way. *Ruis* —4D **18**
Clewer Cres. *Harr* —3B **14**
Clifford Clo. *N'holt* —5E **25**
Clifford Rd. *Wemb* —4H **27**
Clifford Way. *NW10* —1H **29**
Clifton Av. *Stan* —4F **15**
Clifton Av. *Wemb* —3B **28**
Clifton Rd. *NW10* —6A **29**
Clifton Rd. *Harr* —6B **16**
Clifton Way. *Wemb* —5A **28**
Clitheroe Av. *Harr* —4G **19**
Clitheroe Gdns. *Wat* —4D **4**
Clive Pde. *N'wd* —2G **11**
Clochar Ct. *NW10* —5H **29**
Cloister Gdns. *Edgw* —6E **9**
Cloisters, The. *Rick* —1A **2**
Clonard Way. *Pinn* —1G **13**
Clonmel Clo. *Harr* —5B **20**
Closemead Clo. *N'wd* —1E **11**
Close, The. *Eastc* —3C **18**
Close, The. *Harr* —4A **14**
Close, The. *Pinn* —3F **19**
Close, The. *Wemb* —3A **28**
    (HA0)
Close, The. *Wemb* —6E **23**
    (HA9)
Clovelly Av. *NW9* —6H **17**
Clovelly Clo. *Pinn* —5B **12**
Clovelly Way. *S Harr* —5F **19**
Clover Fld., The. *Bush* —1F **5**
Cloyster Wood. *Edgw* —2H **15**
Clydesdale Av. *Stan* —5H **15**
Clyfford Rd. *Ruis* —1A **24**
Clyston Rd. *Wat* —1H **3**
Coates Rd. *Els* —1H **7**
Cobbold Ind. Est. *NW10* —3H **29**
Cobbold Rd. *NW10* —3H **29**
Cobham Clo. *Edgw* —4D **16**
Codling Way. *Wemb* —1H **27**
Cody Clo. *Harr* —5H **15**
Cofers Circ. *Wemb* —5D **22**
Colbeck Rd. *Harr* —3A **20**

Colburn Av. *Pinn* —1E **13**
Colchester Dri. *Pinn* —1D **13**
Colchester Rd. *Edgw* —2E **17**
Colchester Rd. *N'wd* —4A **12**
Coledale Dri. *Stan* —3G **15**
Coles Cres. *Harr* —5H **19**
Coles Grn. *Bus H* —2A **6**
Colesworth Ho. Edgw —4E **17**
(off Burnt Oak B'way.)
Colin Rd. *NW9* —6G **17**
Colin Cres. *NW9* —6H **17**
Colindale. —5F **17**
Colindale Av. *NW9* —5F **17**
Colindale Bus. Pk. *NW9* —5E **17**
COLINDALE HOSPITAL. —4G **17**
Colindeep La. *NW9 & NW4* —5G **17**
Colin Dri. *NW9* —1H **23**
Colin Gdns. *NW9* —6H **17**
Colin Pde. *NW9* —6G **17**
Colin Pk. Rd. *NW9* —6G **17**
Colin Rd. *NW10* —3H **29**
Collapit Clo. *Harr* —2H **19**
College Av. *Harr* —3C **14**
College Clo. *Harr* —2C **14**
College Dri. *Ruis* —3A **18**
College Hill Rd. *Harr* —2C **14**
College Rd. *Harr* —2C **20**
College Rd. *Har W* —3C **14**
College Rd. *Wemb* —4H **21**
College Way. *N'wd* —1F **11**
Collier Dri. *Edgw* —4C **16**
Collins Av. *Stan* —4A **16**
Collins Dri. *Ruis* —5C **18**
Colman Ct. *Stan* —1F **15**
Colmer Pl. *Harr* —2B **14**
Colne Av. *Wat* —1B **4**
Colton Rd. *Harr* —1C **20**
Columbia Av. *Edgw* —3D **16**
Columbia Av. *Ruis* —5A **18**
Columbus Gdns. *N'wd* —3A **12**
Colwyn Av. *Gnfd* —6D **26**
Colwyn Grn. NW9 —2G **23**
(off Snowdon Dri.)
Colyton Clo. *Wemb* —3G **27**
Commercial Way. *NW10* —6D **28**
Common Rd. *Stan* —5B **6**
Common, The. *Stan* —3C **6**
Community Rd. *Gnfd* —5A **26**
Compton Clo. *Edgw* —2E **17**
Compton Cres. *N'holt* —5D **24**
Compton Pl. *Wat* —4E **5**
Compton Ri. *Pinn* —1E **19**
Comyns, The. *Bush* —2A **6**
Concourse, The. *NW9* —3G **17**
Condor Path. N'holt —6G **25**
(off Union Rd.)
Conduit Way. *NW10* —4E **29**
Coneygrove Path. N'holt —3E **25**
(off Arnold Rd.)
Conifer Way. *Wemb* —6G **21**
Coniston Av. *Gnfd* —6F **27**
Coniston Gdns. *NW9* —1F **23**
Coniston Gdns. *Pinn* —6A **12**
Coniston Gdns. *Wemb* —4G **21**
Conley Rd. *NW10* —3G **29**
Connaught Bus. Cen. *NW9* —1H **23**
Connaught Rd. *NW10* —5G **29**
Connaught Rd. *Harr* —3D **14**
Constable Gdns. *Edgw* —3C **16**
Constable Ho. N'holt —6D **24**
(off Gallery Gdns.)
Convair Wlk. *N'holt* —6D **24**
Conway Clo. *Stan* —1E **15**
Conway Cres. *Gnfd* —6C **26**
Conway Gdns. *Wemb* —3G **21**
Cool Oak La. *NW9* —4G **23**
Coombe Clo. *Edgw* —4B **16**
Coombe Dri. *Ruis* —4B **18**
Coombe Rd. *NW10* —6F **23**
Coombe Rd. *Bush* —1B **6**
Cooms Wlk. *Edgw* —3E **17**
Cooper Rd. *NW10* —2H **29**
Copinger Wlk. *Edgw* —3D **16**
Copland Av. *Wemb* —2H **27**
Copland Clo. *Wemb* —2G **27**
Copland M. *Wemb* —3A **28**

Copland Rd. *Wemb* —3A **28**
Copley Rd. *Stan* —6G **7**
Copperfields. *Harr* —3C **20**
Copperfield Way. *Pinn* —6F **13**
Coppice Clo. *Stan* —1D **14**
Coppice, The. *Wat* —1C **4**
Coppins, The. *Harr* —1C **14**
Copse Clo. *N'wd* —4E **11**
Copse Wood Way. *N'wd* —3D **10**
Copthall Dri. *NW7* —2H **17**
Copthorne Rd. *Crox G* —1B **2**
Corbins La. *Harr* —6H **19**
Corby Rd. *NW10* —6F **29**
Corfe Av. *Harr* —1G **25**
Corinium Clo. *Wemb* —1B **28**
Cornbury Rd. *Edgw* —2H **15**
Cornell Ho. *S Harr* —6F **19**
Corner Mead. *NW9* —2H **17**
Cornmow Dri. *NW10* —2H **29**
Cornwall Ct. *Pinn* —2F **13**
Cornwall Rd. *Harr* —2A **20**
Cornwall Rd. *Pinn* —2F **13**
Cornwall Rd. *Ruis* —6A **18**
Coronet Pde. *Wemb* —3A **28**
Corporate Ho. *Har W* —3B **14**
Corringham Rd. *Wemb* —5C **22**
Corris Grn. *NW9* —1G **23**
Costons Av. *Gnfd* —6B **26**
Costons La. *Gnfd* —6B **26**
Coteford Clo. *Pinn* —1A **18**
Cotman Gdns. *Edgw* —4C **16**
Cotman Ho. N'holt —6D **24**
(off Academy Gdns.)
Cotswold Ct. *Gnfd* —6D **26**
(off Hodder Dri.)
Cottage Clo. *Crox G* —1B **2**
Cottingham Chase. *Ruis* —6A **18**
Courtney Av. *Harr* —2A **14**
Courtenay Gdns. *Harr* —4A **14**
Courtenay Rd. *Wemb* —6H **21**
Courtens M. *Stan* —2G **15**
Court Farm La. *N'holt* —4G **25**
Court Farm Rd. *N'holt* —4G **25**
Courtfield Av. *Harr* —1D **20**
Courtfield Cres. *Harr* —1D **20**
Courthope Rd. *Gnfd* —6B **26**
Courtland Av. *NW7* —4F **9**
Court Mead. *N'holt* —6F **25**
Court Pde. *Wemb* —6F **21**
    (in two parts)
Court, The. *Ruis* —1E **25**
Court Way. *NW9* —6G **17**
Courtway, The. *Wat* —3E **5**
Courtyards, The. *Wat* —1F **3**
Coverdale Clo. *Stan* —6F **7**
Covert, The. *N'wd* —3E **11**
Cowan Ct. *NW10* —4F **29**
Cowbridge Rd. *Harr* —6B **16**
Cowen Av. *Harr* —5B **20**
Cowgate Rd. *Gnfd* —6B **26**
Cowings Mead. *N'holt* —3E **25**
Cow La. *Gnfd* —6B **26**
Coxe Pl. *W'stone* —6E **15**
Crabtree Av. *Wemb* —6A **28**
Craigmore Ct. *N'wd* —2G **11**
Craigmuir Pk. *Wemb* —5B **28**
Craigweil Clo. *Stan* —6H **7**
Craigweil Dri. *Stan* —6H **7**
Cranberry Clo. *N'holt* —6D **24**
Cranbourne Dri. *Pinn* —1D **18**
Cranbourne Rd. *N'wd* —5H **11**
Crane Clo. *Harr* —6A **20**
Cranesbill Clo. *NW9* —5F **17**
Cranfield Dri. *NW9* —2G **17**
Cranleigh Gdns. *Harr* —1A **22**
Cranmer Clo. *Ruis* —4D **18**
Cranmer Clo. *Stan* —2G **15**
Cranmer Rd. *Edgw* —4D **8**
Craven Ct. *NW10* —5G **29**
Craven Pk. *NW10* —5F **29**
Craven Pk. M. *NW10* —5G **29**
Craven Pk. Rd. *NW10* —5G **29**
Craven Rd. *NW10* —5F **29**
Crawford Av. *Wemb* —2H **27**

Crawford Gdns. *N'holt* —6F **25**
Crescent Gdns. *Ruis* —3B **18**
Crescent, The. *Harr* —4A **20**
Crescent, The. *Wemb* —5F **21**
Cressingham Rd. *Edgw* —1F **17**
Cresswell. *NW9* —4H **17**
Crest Gdns. *Ruis* —6C **18**
Crest Rd. *NW2* —5H **23**
Crest Vw. *Pinn* —6D **12**
Crispian Clo. *NW10* —1G **29**
Crispin Rd. *Edgw* —1E **17**
Croft Clo. *NW7* —4G **9**
Crofters Rd. *N'wd* —5G **3**
Crofts Rd. *Harr* —2E **21**
Crofts Vs. *Harr* —2E **21**
Croft, The. *NW10* —6H **29**
Croft, The. *Pinn* —3F **19**
Croft, The. *Ruis* —1C **24**
Croft, The. *Wemb* —2G **27**
Crokesley Ho. Edgw —4E **17**
(off Burnt Oak B'way.)
Cromarty Rd. *Edgw* —3D **8**
Crome Ho. N'holt —6E **25**
(off Parkfield Dri.)
Cromwell Rd. *Wemb* —6A **28**
Crosbie. *NW9* —4H **17**
Cross Ga. *Edgw* —4C **8**
Crossgate. *Gnfd* —3F **27**
Crossmead. *Wat* —1B **4**
Crossmead Av. *Gnfd* —6G **25**
Cross Rd. *Harr* —6B **14**
Cross Rd. *S Harr* —6H **19**
Cross Rd. *W'stone* —4E **15**
Crossway. *NW9* —6H **17**
Cross Way. *Pinn* —4B **12**
Crossway. *Ruis* —1C **24**
Crossways, The. *Wemb* —5C **22**
Cross Way, The. *Harr* —4C **14**
Crouch Rd. *NW10* —4F **29**
Crowborough Path. *Wat* —5D **4**
Crown Clo. *NW7* —3H **9**
Crown Hill Rd. *NW10* —5H **29**
Crown Ho. *Ruis* —4A **18**
Crown Rd. *Ruis* —2D **24**
Crown St. *Harr* —4B **20**
Crown Wlk. *Wemb* —6B **22**
Crowshott Av. *Stan* —4G **15**
Croxden Clo. *Edgw* —5C **16**
Croxley Vw. *Wat* —1G **3**
Crummock Gdns. *NW9* —1G **23**
Crundale Av. *NW9* —1C **22**
Crystal Way. *Harr* —1D **20**
Cuckoo Hill. *Pinn* —5C **12**
Cuckoo Hill Dri. *Pinn* —5C **12**
Cuckoo Hill Rd. *Pinn* —6C **12**
Cullera Clo. *N'wd* —1H **11**
Cullington Clo. *Harr* —6E **15**
Culverden Rd. *Wat* —4B **4**
Culver Gro. *Stan* —4G **15**
Culverlands Clo. *Stan* —5F **7**
Cumberland Ct. Harr —5C **14**
(off Princes Dri.)
Cumberland Rd. *Harr* —1H **19**
Cumberland Rd. *Stan* —5B **16**
Cunningham Pk. *Harr* —1A **20**
Curie Ct. *Harr* —3F **21**
Curie Gdns. *NW9* —4G **17**
Currey Rd. *Gnfd* —3B **26**
Curtis La. *Wemb* —2A **28**
Curtlington Ho. Edgw —4E **17**
(off Burnt Oak B'way.)
Curzon Av. *Stan* —3E **15**
Curzon Cres. *NW10* —4G **29**
Curzon Pl. *Pinn* —1C **18**
Cygnet Clo. *NW10* —2F **29**
Cygnet Clo. *N'wd* —1E **11**
Cygnus Bus. Cen. *NW10* —2H **29**
Cymbeline Ct. Harr —2D **20**
(off Gayton Rd.)
Cypress Rd. *Harr* —4B **14**

Dabbs Hill La. *N'holt* —3F **25**
    (in two parts)
Dacre Clo. *Gnfd* —6H **25**
Dagmar Av. *Wemb* —1B **28**

Elm Ter. *Harr* —3B **14**
Elm Ter. *Stan* —6G **7**
Elm Tree Clo. *N'holt* —6F **25**
Elm Way. *NW10* —1G **29**
Elmwood Av. *Harr* —1E **21**
Elmwood Ct. *Wemb* —6E **21**
Elmwood Cres. *NW9* —6E **17**
Elspeth Rd. *Wemb* —2A **28**
Elstow Clo. *Ruis* —3D **18**
Elstree Hill S. *Els* —1H **7**
Elstree Pk. Mobile Homes. *Barn*
—1F **9**
Elstree Rd. *Bus H & Bush* —1B **6**
Elthorne Rd. *NW9* —3F **23**
Elthorne Way. *NW9* —2F **23**
Elton Av. *Gnfd* —3C **26**
Elton Av. *Wemb* —2F **27**
Elveden Pl. *NW10* —6C **28**
Elveden Rd. *NW10* —6C **28**
Elvington La. *NW9* —3G **17**
Ember Ct. *NW9* —2H **17**
Embleton Rd. *Wat* —4A **4**
Embry Clo. *Stan* —5E **7**
Embry Dri. *Stan* —1E **15**
Embry Way. *Stan* —6E **7**
Emerson Gdns. *Harr* —2B **22**
Emmanuel Rd. *N'wd* —2H **11**
Empire Ct. *Wemb* —6D **22**
Empire Pde. *Wemb* —6C **22**
Empire Rd. *Gnfd* —5F **27**
Empire Way. *Wemb* —1B **28**
Enderley Clo. *Harr* —4C **14**
Enderley Rd. *Harr* —3C **14**
Endersleigh Gdns. *NW4* —6H **17**
Energen Clo. *NW10* —3G **29**
Engineers Way. *Wemb* —1C **28**
Ennerdale Av. *Stan* —5G **15**
Ennerdale Dri. *NW9* —1G **23**
Ennerdale Gdns. *Wemb* —4G **21**
Ennismore Av. *Gnfd* —3C **26**
Epsom Clo. *N'holt* —2F **25**
Eric Rd. *NW10* —3H **29**
Eridge Rd. *NW10* —4G **29**
Eskdale Av. *N'holt* —5F **25**
Eskdale Clo. *Wemb* —5H **21**
Esmar Cres. *NW9* —3H **23**
Essex Clo. *Ruis* —4D **18**
Essex Rd. *NW10* —4G **29**
Essoldo Way. *Edgw* —5B **16**
Eton Av. *Wemb* —1F **27**
Eton Ct. *Wemb* —1G **27**
Eton Gro. *NW9* —5C **16**
European Bus. Cen. *NW9* —5E **17**
(in two parts)
Evelyn Av. *NW9* —6F **17**
Evelyn Av. *Ruis* —2A **18**
Evelyn Dri. *Pinn* —2D **12**
Everard Way. *Wemb* —6A **22**
Everett Clo. *Bus H* —2C **6**
Everett Clo. *Pinn* —5H **11**
Everglade Strand. *NW9* —3H **17**
Eversfield Gdns. *NW7* —1G **17**
Eversley Av. *Wemb* —5C **22**
Everton Dri. *Stan* —5A **16**
Evesham Clo. *Gnfd* —6H **25**
Exeter Rd. *Harr* —5E **19**
Exmouth Rd. *Ruis* —6C **18**
Exton Cres. *NW10* —4E **29**

Fairacre Ct. *N'wd* —2G **11**
Fairacres. *Ruis* —3A **18**
Fair Clo. *Bush* —1H **5**
Fairfield Av. *Edgw* —1D **16**
Fairfield Av. *Wat* —4C **4**
Fairfield Clo. *N'wd* —6E **3**
Fairfield Ct. *NW10* —5H **29**
Fairfield Ct. *N'wd* —4A **12**
Fairfield Cres. *Edgw* —1D **16**
Fairfield Dri. *Gnfd* —5G **27**
Fairfield Dri. *Harr* —3A **14**
Fairfields Clo. *NW9* —1E **23**
Fairfields Cres. *NW9* —6E **17**
Fairhaven Cres. *Wat* —4A **4**
Fairholme Ct. *H End* —1F **13**
Fairholme Rd. *Harr* —1D **20**

Fairlawns. *Pinn* —4D **12**
Fairlight Av. *NW10* —6G **29**
Fairlight Ct. *NW10* —6G **29**
Fairlight Ct. *Gnfd* —6A **26**
Fairman Ter. *Kent* —6H **15**
Fairmead Cres. *Edgw* —4E **9**
Fairseat Clo. *Bus H* —3C **6**
Fairview. *Ruis* —1C **24**
Fairview Av. *Wemb* —3H **27**
Fairview Cres. *Harr* —4G **19**
Fairview Way. *Edgw* —5C **8**
Fairway Av. *NW9* —5D **16**
Fairway Ct. *NW7* —4F **9**
Fairway Dri. *Gnfd* —4H **25**
Fairways. *Stan* —4A **16**
Fairway, The. *Harr* —4F **9**
Fairway, The. *N'holt* —3A **26**
Fairway, The. *N'wd* —5G **3**
Fairway, The. *Ruis* —1C **24**
Fairway, The. *Wemb* —6F **21**
Fakenham Clo. *NW7* —2H **17**
Fakenham Clo. *N'holt* —3F **25**
Falcon Clo. *NW7* —4F **9**
Falcon Pk. Ind. Est. *NW10* —1G **29**
Falcon Way. *NW9* —4G **17**
Falcon Way. *Harr* —1A **22**
Falkirk Gdns. *Wat* —6D **4**
Fallowfield. *Stan* —5E **7**
Fallowfield Ct. *Stan* —4E **7**
Falmouth Ho. *Pinn* —2F **13**
Faraday Ho. *Wemb* —6E **23**
Farm Av. *Harr* —3F **19**
Farm Av. *Wemb* —3G **27**
Farmborough Clo. *Harr* —3B **20**
Farm End. *N'wd* —3D **10**
Farm Ho. Ct. *NW7* —2H **17**
Farmlands. *Pinn* —6A **12**
Farmlands, The. *N'holt* —4G **25**
Farm Rd. *NW10* —5F **29**
Farm Rd. *Edgw* —1D **16**
Farm Rd. *N'wd* —6D **2**
Farmstead Rd. *Harr* —3B **14**
Farm Way. *N'wd* —5G **3**
Farnborough Clo. *Wemb* —5D **22**
Farndale Cres. *Gnfd* —6A **26**
Farrans Ct. *Harr* —3F **21**
Farrer Rd. *Harr* —1A **22**
Farrier Rd. *N'holt* —6G **25**
Farrington Pl. *N'wd* —5H **3**
Farthings Clo. *Pinn* —2B **18**
Fawcett Rd. *NW10* —4H **29**
Fawood Av. *NW10* —4E **29**
Federal Rd. *Gnfd* —5G **27**
Felbridge Av. *Stan* —3E **15**
Felden Clo. *Pinn* —2E **13**
Fell Wlk. *Edgw* —3E **17**
Felnex Trad. Est. *NW10* —6F **29**
Fernbank Av. *Wemb* —1D **26**
Fernbrook Dri. *Harr* —3H **19**
Ferncroft Av. *Ruis* —5C **18**
Ferndale Ter. *Harr* —6D **14**
Ferndown. *N'wd* —4A **12**
Ferndown Clo. *Pinn* —2E **13**
Ferndown Rd. *Wat* —5C **4**
Fernhurst Gdns. *Edgw* —1C **16**
Fernleigh Ct. *Harr* —4H **13**
Fernleigh Ct. *Wemb* —5A **22**
Fernside Av. *NW7* —4F **9**
Fernwood Av. *Wemb* —3G **27**
Ferring Clo. *Harr* —4A **20**
Ferryhills Clo. *Wat* —4C **4**
Ferrymead Av. *Gnfd* —6G **25**
Ferrymead Dri. *Gnfd* —6G **25**
Ferrymead Gdns. *Gnfd* —6H **25**
Fidler Pl. *Bush* —1H **5**
Field End. *N'holt* —3E **25**
Field End. *Ruis* —3C **24**
Field End Clo. *Wat* —1E **5**
Field End Rd. *Eastc & Pinn* —1B **18**
Fielders Clo. *Harr* —4A **20**
Field Mead. *NW7* —2G **17**
Field Way. *NW10* —4E **29**
Field Way. *Gnfd* —5H **25**
Fifth Way. *Wemb* —1D **28**
Fig Tree Clo. *NW10* —5G **29**
Filey Waye. *Ruis* —5A **18**

Finch Clo. *NW10* —3F **29**
Findon Clo. *Harr* —6H **19**
Finucane Ri. *Bus H* —3A **6**
Firbank Dri. *Wat* —1E **5**
Fircroft Gdns. *Harr* —6C **20**
Firethorn Clo. *Edgw* —5E **9**
First Av. *Wemb* —5H **21**
First Dri. *NW10* —4E **29**
First Way. *Wemb* —1D **28**
Firs Wlk. *N'wd* —1F **11**
Fisher Clo. *Gnfd* —6G **25**
Fisher Rd. *Harr* —4D **14**
Fitzsimmons Ct. *NW10* —5F **29**
Five Acre. *NW9* —4H **17**
Five Fields Clo. *Wat* —3F **5**
Flag Wlk. *Pinn* —2A **18**
Flambard Rd. *Harr* —2E **21**
Flamborough Rd. *Ruis* —6A **18**
Flamsted Av. *Wemb* —3C **28**
Flaunden Ho. *Wat* —1G **3**
Flecker Clo. *Stan* —6D **6**
Fleetway Bus. Cen. *NW2* —4H **23**
Fleetway W. Bus. Pk. *Gnfd* —6F **27**
Fleetwood Rd. *NW10* —2H **29**
Fleetwood Way. *Wat* —5C **4**
Fleming Ho. Wemb —6E 23
(off Barnhill Rd.)
Fleming Wlk. *NW9* —5G **17**
Flemming Av. *Ruis* —4B **18**
Flete Ho. *Wat* —1G **3**
Flight App. *NW4* —4F **17**
Florida Clo. *Bus H* —3B **6**
Floriston Clo. *Stan* —3F **15**
Floriston Ct. *N'holt* —2H **25**
Floriston Gdns. *Stan* —3F **15**
Flower La. *NW7* —6H **9**
Flowers Clo. *NW2* —6H **23**
Folkestone Ct. N'holt —2H 25
(off Newmarket Av.)
Folkingham La. *NW9* —3F **17**
Folland. NW9 —4H 17
(off Hundred Acre)
Fontwell Clo. *Harr* —2C **14**
Fontwell Clo. *N'holt* —3G **25**
Football La. *Harr* —4D **20**
Forbes Way. *Ruis* —5B **18**
Ford Clo. *Harr* —3B **20**
Forest Ga. *NW9* —6G **17**
Fore St. *Pinn* —5H **11**
Forge La. *N'wd* —2G **11**
Formby Av. *Stan* —5G **15**
Fortescue Rd. *Edgw* —3F **17**
Fortnum's Acre. *Stan* —1D **14**
Fort Rd. *N'holt* —4G **25**
Fortunegate Rd. *NW10* —5G **29**
Fortune La. *Els* —1H **7**
Fortunes Mead. *N'holt* —3E **25**
Forty Av. *Wemb* —6B **22**
Forty Clo. *Wemb* —6B **22**
Forty La. *Wemb* —5D **22**
Forumside. *Edgw* —1C **16**
Forum Way. *Edgw* —1C **16**
Forward Dri. *Harr* —6D **14**
Fourland Wlk. *Edgw* —1E **17**
Fourth Way. *Wemb* —1D **28**
Four Tubs, The. *Bush* —1B **6**
Foxdell. *N'wd* —1H **11**
Foxfield Clo. *N'wd* —1H **11**
Foxglove Ct. *Wemb* —6A **28**
Foxgrove Path. *Wat* —6D **4**
Foxholt Gdns. *NW10* —4E **29**
Foxlees. *Wemb* —1E **27**
Foxleys. *Wat* —4E **5**
Foxwood Clo. *NW7* —5G **9**
Francis Ct. NW7 —6H 9
(off Watford Way)
Francis Rd. *Gnfd* —6F **27**
Francis Rd. *Harr* —1E **21**
Francis Rd. *Pinn* —1C **18**
Francklyn Gdns. *Edgw* —4C **8**
Frankland Clo. *Crox G* —1C **2**
Frankland Rd. *Crox G* —1D **2**
Franklin Cotts. *Stan* —5F **7**
Franklins M. *Harr* —5A **20**
Franklyn Rd. *NW10* —3H **29**
Frank Welsh Ct. *Pinn* —6C **12**

Fraser Rd. *Gnfd* —5F **27**
Frazer Av. *Ruis* —2C **24**
Freeman Clo. *N'holt* —4E **25**
Friars Clo. *N'holt* —6D **24**
Fringewood Clo. *N'wd* —3D **10**
Frinton Clo. *Wat* —3B **4**
Frithwood Av. *N'wd* —1G **11**
Frobisher Clo. *Pinn* —3D **18**
Frobisher Ct. *NW9* —4G **17**
Frogmore Ct. *B Hth* —3A **2**
Frogmore La. *Rick* —3A **2**
Frognal Av. *Harr* —6D **19**
Fryent Av. *NW9* —2C **22**
Fryent Country Pk. —3C 22
Fryent Cres. *NW9* —2G **23**
Fryent Fields. *NW9* —2G **23**
Fryent Gro. *NW9* —2G **23**
Fryent Way. *NW9* —1C **22**
Fry Rd. *NW10* —5H **29**
Fulbeck Dri. *NW9* —3G **17**
Fulbeck Wlk. *Edgw* —3D **8**
Fulbeck Way. *Harr* —4A **14**
Fulford Gro. *Wat* —3B **4**
Fulton Rd. *Wemb* —6C **22**
Fulwood Av. *Wemb* —6B **28**
Fulwood Ct. *Kent* —2E **21**
Furham Fld. *Pinn* —2G **13**
Furlong Path. N'holt —3E 25
(off Arnold Rd.)
Furness Rd. *NW10* —6H **29**
Furness Rd. *Harr* —3H **19**
Further Acre. *NW9* —4H **17**
Furze Clo. *Wat* —6C **4**

Gable Clo. *Pinn* —2G **13**
Gables, The. *Wat* —1C **4**
Gables, The. *Wemb* —6C **22**
Gabrielle Clo. *Wemb* —6B **22**
Gaddesden Av. *Wemb* —3B **28**
Gadsbury Clo. *NW9* —2H **23**
Gainsboro Gdns. *Gnfd* —2C **26**
Gainsborough Gdns. *Edgw* —4B **16**
Gainsborough Lodge. Harr —1D 20
(off Hindes Rd.)
Gainsborough Tower. N'holt
(off Academy Gdns.) —6D **24**
Gallery Gdns. *N'holt* —6D **24**
Galy. *NW4* —4H **17**
Ganton Wlk. *Wat* —5D **4**
Garden City. *Edgw* —1C **16**
Garden Clo. *N'holt* —5E **25**
Garden Ct. *Stan* —6G **7**
Gardens, The. *Harr* —2A **20**
Gardens, The. *Pinn* —2F **19**
Garden Way. *NW10* —3E **29**
Gardiner Ct. *NW10* —5F **29**
Garganey Ct. NW10 —3F 29
(off Elgar Av.)
Garland Rd. *Stan* —3A **16**
Garnet Rd. *NW10* —3G **29**
Garrard Wlk. *NW10* —3G **29**
Garratt Rd. *Edgw* —2C **16**
Garratts Rd. *Bush* —1A **6**
Garrick Ind. Est. *NW9* —1H **23**
Garrick Rd. *NW9* —2H **23**
Garth Clo. *Ruis* —4D **18**
Garth Ct. *Harr* —2D **20**
(off Northwick Pk. Rd.)
Garth, The. *Harr* —2B **22**
Gaskarth Rd. *Edgw* —3E **17**
Gate End. *N'wd* —2A **12**
Gatehill Rd. *N'wd* —2H **11**
Gates. *NW9* —4H **17**
Gateway Clo. *N'wd* —1E **11**
Gatting Clo. *Edgw* —2E **17**
Gauntlet. NW9 —4H 17
(off Five Acre)
Gauntlet Clo. *N'holt* —4E **25**
Gauntlett Ct. *Wemb* —2F **27**
Gaydon La. *NW9* —3G **17**
Gaylor Rd. *N'holt* —4E **25**
Gayton Ct. *Harr* —2D **25**
Gayton Rd. *Harr* —2D **20**
Geary Rd. *NW10* —2H **29**
George V Av. *Pinn* —4F **13**

George V Clo. *Pinn* —5G **13**
George V Way. *Gnfd* —5F **27**
George Gange Way. *Harr* —5D **14**
George Lansbury Ho. *NW10*
      —4G **29**
Georgian Clo. *Stan* —2E **15**
Georgian Ct. *Wemb* —3C **28**
Georgian Way. *Harr* —5B **20**
Gerard Rd. *Harr* —2E **21**
Gerrard Gdns. *Pinn* —1A **18**
Gervase Clo. *Wemb* —6E **23**
Gervase Rd. *Edgw* —3E **17**
Giant Tree Hill. *Bus H* —2B **6**
Gibbons Rd. *NW10* —3G **29**
Gibbs Couch. *Wat* —4D **4**
Gibbs Grn. *Edgw* —5E **9**
Gilbert Gro. *Edgw* —3F **17**
Gilbert Rd. *Harr* —4A **10**
Gilbert St. *Pinn* —6D **12**
Gilda Ct. *NW7* —3H **17**
Gildea Clo. *Pinn* —2G **13**
Gillan Grn. *Bus H* —3A **6**
Gillian Ho. *Har W* —1C **14**
Gippeswyck Clo. *Pinn* —3D **12**
Girtin Ho. N'holt —6D **24**
   (off Academy Gdns.)
Girton Av. *NW9* —5C **16**
Girton Clo. *N'holt* —3A **26**
Girton Rd. *N'holt* —3A **26**
Glacier Way. *Wemb* —6H **27**
Gladsdale Dri. *Pinn* —6B **12**
Gladstone Way. *Harr* —5C **14**
Glamis Way. *N'holt* —3A **26**
Glanleam Rd. *Stan* —5H **7**
Glasfryn Ct. Harr —5B **20**
   (off Roxeth Hill)
Glasfryn Rd. Harr —5B **20**
   (off Roxeth Hill)
Glebe Av. *Harr* —6A **16**
Glebe Av. *Ruis* —3B **24**
Glebe Ct. *Stan* —6G **7**
Glebe Cres. *Harr* —5A **16**
Glebe La. *Harr* —6A **16**
Glebe Rd. *NW10* —3H **29**
Glebe Rd. *Stan* —6G **7**
Gleed Av. *Bus H* —3B **6**
Glenalmond Rd. *Harr* —6A **16**
Glencourse Grn. *Wat* —5D **4**
Glendale Av. *Edgw* —5B **8**
Glendale Gdns. *Wemb* —4H **21**
Glendevon Clo. *Edgw* —4D **8**
Glendor Gdns. *NW7* —5F **9**
Gleneagles. *Stan* —2F **15**
Gleneagles Clo. *Wat* —5D **4**
Glengall Rd. *Edgw* —4D **8**
Glenmere Av. *NW7* —2H **17**
Glenmore Pde. *Wemb* —5A **28**
Glenshee Clo. *N'wd* —1E **11**
Glen, The. *Eastc* —1B **18**
Glen, The. *N'wd* —2F **11**
Glen, The. *Pinn* —3E **19**
Glen, The. *Wemb* —1A **28**
Glenwood Av. *NW9* —4G **23**
Glenwood Clo. *Harr* —1D **20**
Glenwood Gro. *NW9* —4E **23**
Glenwood Rd. *NW7* —4G **9**
Gloucester Clo. *NW10* —4F **29**
Gloucester Ct. *Harr* —5C **14**
Gloucester Gro. *Edgw* —3F **17**
Gloucester Rd. *Harr* —1H **19**
Glover Rd. *Pinn* —2D **18**
Glynfield Rd. *NW10* —4G **29**
Goddard Ct. *W'stone* —4E **15**
Godfrey Av. *N'holt* —5E **25**
Goldbeaters Gro. *Edgw* —1G **17**
Goldcrest Way. *Bush* —2A **6**
Golders Clo. *Edgw* —6D **8**
Gold Hill. *Edgw* —1F **17**
Gold La. *Edgw* —1F **17**
Goldsmith Av. *NW9* —1G **23**
Goldsmith Clo. *Harr* —4H **19**
Goldsmith La. *NW9* —6D **16**
Golf Clo. *Stan* —2G **15**
Gonville Cres. *N'holt* —3H **25**
Gooden Ct. *Harr* —6C **20**
Goodhall St. *NW10* —6H **29**

Goodmans Ct. *Wemb* —1H **27**
Goodson Rd. *NW10* —4G **29**
Goodwood Clo. *Stan* —6G **7**
Goodwood Dri. *N'holt* —3G **25**
Goodwyn Av. *NW7* —6G **9**
Gooseacre La. *Harr* —1H **21**
Goral Mead. *Rick* —2A **2**
Gordon Av. *Stan* —2D **14**
Gordon Ct. *Edgw* —6A **8**
Gordon Gdns. *Edgw* —4D **16**
Gordon Rd. *Harr* —5C **14**
Gore Ct. *NW9* —1C **22**
Goring Way. *Gnfd* —6A **26**
Gosforth La. *Wat* —4A **4**
Gosforth Path. *Wat* —4A **4**
Gosling Clo. *Gnfd* —6G **25**
Grace Clo. *Edgw* —2E **17**
Grafton Rd. *Harr* —1A **20**
Graham Ct. *N'holt* —2F **25**
Grahame Park. —3H 17
Grahame Pk. Est. *NW9* —3G **17**
Grahame Pk. Way. *NW9 &*
      NW9 —2H **17**
Grahame White Ho. *Kent* —5H **15**
Graham Rd. *Harr* —5C **14**
Grainger Clo. *N'holt* —2H **25**
Granard Bus. Cen. *NW7* —1G **17**
Grand Av. *Wemb* —2C **28**
Grand Av. E. *Wemb* —2D **28**
Grand Pde. *Wemb* —5C **22**
Grand Union Ind. Est. *NW10*
      —6D **28**
Grange Av. *Stan* —4F **15**
Grange Clo. *Edgw* —6E **9**
Grange Ct. NW10 —6G **23**
   (off Neasden La.)
Grange Ct. *Harr* —6D **20**
Grange Ct. *N'holt* —6C **24**
Grange Ct. *Pinn* —5E **13**
Grangedale Clo. *N'wd* —3G **11**
Grange Farm Clo. *Harr* —5A **20**
Grange Gdns. *Pinn* —5E **13**
Grange Hill. *Edgw* —6E **9**
Grange Mus. of Community
   History. —1G **29**
Grange Rd. *Edgw* —1F **17**
Grange Rd. *Harr* —1E **21**
Grange Rd. *S Harr* —5B **20**
Grange, The. *Wemb* —4C **28**
Grangewood Clo. *Pinn* —1A **18**
Grantchester Clo. *Harr* —6D **20**
Grantham Clo. *Edgw* —4A **8**
Grant Rd. *Harr* —5D **14**
Granville Pl. *Pinn* —5D **12**
Grasmere Av. *Wemb* —3G **21**
Grasmere Gdns. *Harr* —4E **15**
Gt. Central Av. *Ruis* —2C **24**
Gt. Central Way. *Wemb &*
      NW10 —1E **29**
Great Fld. *NW9* —3G **17**
Great Strand. *NW9* —3H **17**
Greenacre Clo. *N'holt* —2F **25**
Greenacres. *Bus H* —3B **6**
Greenacres Dri. *Stan* —1F **15**
Green Av. *NW7* —5F **9**
Greenbank Av. *Wemb* —2E **27**
Greenbanks. *Harr* —1C **26**
Green Clo. *NW9* —2E **23**
Greencourt Av. *Edgw* —3D **16**
Greencroft. *Edgw* —6E **9**
Greencroft Av. *Ruis* —5C **18**
Greendale. *NW7* —5G **9**
Greenfield Av. *Wat* —3D **4**
Greenfield Way. *Harr* —5H **13**
Greenford. —6H 25
Greenford Bus. Cen. *Gnfd* —4B **26**
Greenford Gdns. *Gnfd* —6H **25**
Greenford Green. —3C 26
Greenford Ind. Est. *N'holt* —4H **25**
Greenford Rd. *Gnfd & Harr*
      —6B **26**
Greenford Roundabout. (Junct.)
      —6B **26**
Greengate. *Gnfd* —3F **27**
Greenheys Clo. *N'wd* —3G **11**
Greenhill. —1C 20

Greenhill. *Wemb* —5D **22**
Greenhill Cres. *Wat* —1G **3**
Greenhill Gdns. *N'holt* —6F **25**
Greenhill Pk. *NW10* —5G **29**
Greenhill Rd. *NW10* —5G **29**
Greenhill Rd. *Harr* —2C **20**
Greenhill Ter. *N'holt* —6F **25**
Greenhill Way. *Harr* —2C **20**
Greenhill Way. *Wemb* —5D **22**
Green La. *Edgw* —5B **8**
Green La. *Harr* —6C **20**
Green La. *N'wd* —1F **11**
Green La. *Stan* —5F **7**
Green La. *Wat* —1C **4**
Green La. Cotts. *Stan* —5F **7**
Green Lawns. *Ruis* —4C **18**
Greenpark Ct. *Wemb* —4G **27**
Grn. Park Way. *Gnfd* —4C **26**
Greenrigg Wlk. *Wemb* —6D **22**
Greensward. *Bush* —1H **5**
Green, The. *Wemb* —5E **21**
Green Verges. *Stan* —2H **15**
Green Wlk. *NW4* —1A **18**
Greenway. *Kent* —1A **22**
Greenway. *Pinn* —4B **12**
Greenway Clo. *NW9* —4F **17**
Greenway Gdns. *NW9* —4F **17**
Greenway Gdns. *Gnfd* —6G **25**
Greenway Gdns. *Harr* —4C **14**
Greenway, The. *NW9* —4F **17**
Green Way, The. *Pinn* —2F **19**
Green Way, The. *W'stone* —3C **14**
Greenwood Clo. *Bus H* —1C **6**
Greenwoods, The. *S Harr* —6A **20**
Greenwood Ter. *NW10* —5F **29**
Greer Rd. *Harr* —3A **14**
Grendon Gdns. *Wemb* —5C **22**
Grendon Lodge. *Edgw* —3E **9**
Grenfell Gdns. *Harr* —1A **28**
Grenville Pl. *NW7* —6F **9**
Gresham Rd. *NW10* —2F **29**
Gresham Rd. *Edgw* —1B **16**
Greville Ct. *Harr* —1C **26**
Greville Gdns. Edgw —5D **8**
   (off Broadhurst Av.)
Greyfell Clo. *Stan* —6G **7**
Greystoke Av. *Pinn* —5G **13**
Greystone Gdns. *Harr* —2G **21**
Grim's Dyke Golf Course. —5G **5**
Grimsdyke Rd. *Pinn* —2E **13**
Grittleton Av. *Wemb* —3D **28**
Grooms Dri. *Pinn* —1A **18**
Grosvenor Av. *Harr* —2H **19**
Grosvenor Ct. NW7 —6F **9**
   (off Hale La.)
Grosvenor Cres. *NW9* —6C **16**
Grosvenor Rd. *N'wd* —6H **3**
Grove Av. *Pinn* —6E **13**
Grove Bank. *Wat* —2D **4**
Grove Cres. *NW9* —6E **17**
Grove Farm Pk. *N'wd* —6F **3**
Grove Grn. *N'wd* —6F **3**
Grove Hill. *Harr* —3C **20**
Grove Hill Rd. *Harr* —3D **20**
Grovelands Clo. *Harr* —6H **19**
Grove Pk. *NW9* —6E **17**
Grove Pk. Ind. Est. *NW9* —6F **17**
Grove Rd. *Edgw* —1C **16**
Grove Rd. *N'wd* —6F **3**
Grove Rd. *Pinn* —1F **19**
Grover Rd. *Wat* —1D **4**
Grove, The. *NW9* —1F **23**
Grove, The. *Edgw* —5D **8**
Grove, The. *Stan* —3E **7**
Grove Way. *Wemb* —2D **28**
Guilfoyle. *NW9* —4H **17**
Guilsborough Clo. *NW10* —4G **29**
Gulliver Clo. *N'holt* —5F **25**
Gunter Gro. *Edgw* —3F **17**
Gurney Rd. *N'holt* —6B **24**
Gweneth Cotts. *Edgw* —1C **16**
Gyles Pk. *Stan* —3G **15**

Haddenham Ct. *Wat* —4D **4**
Hadden Way. *Gnfd* —3B **26**

Haig Rd. *Stan* —6G **7**
Hailsham Dri. *Harr* —5B **14**
Hale Clo. *Edgw* —5B **8**
Hale Ct. *Edgw* —6E **9**
Hale Dri. *NW7* —1E **17**
Hale End Clo. *Ruis* —2A **18**
Hale Gro. Gdns. *NW7* —6G **9**
Hale La. *NW7* —6F **9**
Hale La. *Edgw* —6D **8**
Hale, The. —6E 9
Half Acre. *Stan* —1G **15**
Halford Clo. *Edgw* —4D **16**
Halifax. *NW9* —4H **17**
Halifax Rd. *Gnfd* —5H **25**
Hallam Gdns. *Pinn* —2E **13**
Halland Way. *N'wd* —1F **11**
Hall Farm Clo. *Stan* —5F **7**
Hallmark Trad. Cen. *Wemb* —1E **29**
Hallowell Rd. *N'wd* —2G **11**
Hallowes Cres. *Wat* —4A **4**
Halsbury Clo. *Stan* —5E **7**
Halsbury Ct. *Stan* —5F **7**
Halsbury Rd. *Harr* —1A **26**
Halsbury Rd. E. *N'holt* —2H **25**
Halsbury Rd. W. *N'holt* —2H **25**
Hamble Wlk. N'holt —6G **25**
   (off Brabazon Rd.)
Hamel Clo. *Harr* —6H **15**
Hamilton Clo. *Stan* —3C **6**
Hamilton Cres. *Harr* —6F **19**
Hamilton Rd. *NW10* —2H **29**
Hamilton Rd. *Harr* —1C **20**
Hamilton Rd. *Wat* —4B **4**
Hamlin Cres. *Pinn* —1C **18**
Hamlyn Clo. *Edgw* —4A **8**
Hammers La. *NW7* —6H **9**
Hammond Clo. *Gnfd* —2B **26**
Hamonde Clo. *Edgw* —3D **8**
Hampden Rd. *Harr* —3A **14**
Hampermill La. *Wat* —3H **3**
Hampton Ri. *Harr* —2A **22**
Hanbury Ct. *Harr* —2D **20**
Handel Clo. *Edgw* —1B **16**
Handel Pde. Edgw —2C **16**
   (off Whitchurch La.)
Handel Pl. *NW10* —3F **29**
Handel Way. *Edgw* —6C **8**
Handsworth Clo. *Wat* —4A **4**
Hangar Ruding. *Wat* —4F **5**
Hanger La. *W5* —6A **28**
Hankins La. *NW7* —3G **9**
Hannah Clo. *NW10* —1E **29**
Hanover Ct. *NW9* —5G **17**
Hanover Ct. *Ruis* —6A **18**
Hanover W. Ind. Est. *NW10* —6F **29**
Hanselin Clo. *Stan* —5D **6**
Hanshaw Dri. *Edgw* —3F **17**
Hapgood Clo. *Gnfd* —2B **26**
Harborne Clo. *Wat* —6C **4**
Harcourt Av. *Edgw* —4E **9**
Hardie Clo. *NW10* —2F **29**
Hardwick Clo. *Stan* —6G **7**
Hardy Av. *Ruis* —2B **24**
Hardy Clo. *Pinn* —3D **18**
Harefield Rd. *Rick* —3A **2**
Harefield Ind. Est. *Rick* —5A **2**
Harewood Av. *N'holt* —4F **25**
Harewood Clo. *N'holt* —4F **25**
Harewood Rd. *Wat* —4B **4**
Hargood Clo. *Harr* —2A **22**
Harkett Clo. *Harr* —4D **14**
Harkett Ct. *W'stone* —4D **14**
Harlech Gdns. *Pinn* —4B **18**
Harlequin Ct. NW10 —3F **29**
   (off Mitchellbrook Way)
Harlesden. —6H 29
Harlesden Gdns. *NW10* —5H **29**
Harlesden La. *NW10* —5H **29**
Harlesden Plaza. *NW10* —6H **29**
Harlesden Rd. *NW10* —5H **29**
Harley Clo. *Wemb* —3H **27**
Harley Ct. *Harr* —6B **14**
Harley Cres. *Harr* —6B **14**
Harley Rd. *NW10* —6G **29**
Harley Rd. *Harr* —6B **14**
Harley Vs. *NW10* —6G **29**
Harlyn Dri. *Pinn* —3B **12**

Harp Bus. Cen. *NW2* —4H **23**
(off Apsley Way)
Harp Island Clo. *NW10* —5F **23**
Harrier Way. *Bush* —1B **6**
Harrington Clo. *NW10* —6F **23**
Harris Ct. *Wemb* —6B **22**
Harrison Clo. *N'holt* —1E **11**
Harrogate Rd. *Wat* —4C **4**
Harrovian Bus. Village. *Harr*
—3C **20**
Harrow. —2C 20
Harrow Borough F.C. —1G **25**
Harrowdene Clo. *Wemb* —1H **27**
Harrowdene Rd. *Wemb* —6H **21**
Harrowes Meade. *Edgw* —4E **5**
Harrow Fields Gdns. *Harr* —6C **20**
Harrow Mus. & Heritage Cen.
—5A **14**
Harrow on the Hill. —4C 20
Harrow Pk. *Harr* —5C **20**
Harrow Road. (Junct.) —3D **28**
Harrow Rd. *Wemb* —1D **26**
(HA0)
Harrow Rd. *Wemb* —2C **28**
(HA9)
Harrow School Old Speech
Room Gallery. —4C **20**
(off High St., Harrow School)
Harrow Vw. *Harr* —4A **14**
Harrow Way. *Wat* —4E **5**
Harrow Weald. —3C 14
Harrow Weald Pk. *Harr* —1B **14**
Hartfield Av. *N'holt* —6B **24**
Hartfield Ho. N'holt —6B **24**
(off Hartfield Av.)
Hartford Av. *Harr* —5E **15**
Hartington Clo. *Harr* —1C **26**
Hartland Clo. *Edgw* —3C **8**
Hartland Dri. *Edgw* —3C **8**
Hartland Dri. *Ruis* —6B **18**
Hartley Av. *NW7* —6H **9**
Hartley Clo. *NW7* —6H **9**
Hartsbourne Av. *Bus H* —3A **6**
Hartsbourne Clo. *Bus H* —3B **6**
Hartsbourne Country Club Golf
Courses. —3G **5**
Hartsbourne Pk. *Bush* —3C **6**
Hartsbourne Rd. *Bus H* —3B **6**
Hartwood Grn. *Bush* —3B **6**
Harvey Rd. *Crox G* —1C **2**
Harvey Rd. *N'holt* —4C **24**
Harwood Grn. *Wemb* —1H **27**
Haste Hill Golf Course. —4G **11**
Hatch End. —2F 13
Hathaway Clo. *Stan* —6E **7**
Hatherleigh Rd. *Ruis* —5A **18**
Hatters La. *Wat* —1F **3**
Havelock Pl. *Harr* —2C **20**
Havelock Rd. *Harr* —5C **14**
Haven Wood. *Wemb* —6D **22**
Haverford Way. *Edgw* —3B **16**
Haversham Ct. *Gnfd* —3D **26**
Hawes Clo. *N'wd* —2H **11**
Hawkesworth Clo. *N'wd* —2G **11**
Hawkins Clo. *NW7* —6F **9**
Hawkins Clo. *Harr* —3B **20**
Hawkshead Rd. *NW10* —4H **29**
Hawlands Dri. *Pinn* —3E **19**
Hawter. *NW9* —3H **17**
Hawthorn Cen. *Harr* —1D **20**
Hawthorn Ct. Pinn —4C **12**
(off Rickmansworth Rd.)
Hawthorn Dri. *Harr* —2G **19**
Hawthorne Av. *Harr* —2E **21**
Hawthorne Av. *Ruis* —2B **18**
Hawthorne Ct. *N'wd* —4A **12**
Hawthorne Farm Av. *N'holt* —5E **25**
Hawthorne Gro. *NW9* —3E **23**
Hawtrey Av. *N'holt* —6D **24**
Hawtrey Dri. *Ruis* —3A **18**
Haydock Av. *N'holt* —3G **25**
Haydock Grn. *N'holt* —3G **25**
Haydock Grn. Flats. N'holt —3G **25**
(off Haydock Grn.)
Haydon Clo. *NW9* —6E **17**

Haydon Dri. *Pinn* —6A **12**
Hayland Clo. *NW9* —6F **17**
Hay La. *NW9* —6E **17**
Hayling Rd. *Wat* —4A **4**
Haymill Clo. *Gnfd* —6D **26**
Haynes Rd. *Wemb* —4A **28**
Haywood Clo. *Pinn* —4D **12**
Hazel Cft. *Pinn* —1H **13**
Hazeldean Rd. *NW10* —4F **29**
Hazeldene Dri. *Pinn* —5C **12**
Hazel Gdns. *Edgw* —5D **8**
Hazel Gro. *Wemb* —5A **28**
Hazelmere Clo. *N'holt* —6F **25**
Hazelmere Dri. *N'holt* —6F **25**
Hazelmere Rd. *N'holt* —6F **25**
Hazelmere Wlk. *N'holt* —6F **25**
Hazelwood Clo. *Harr* —6H **13**
Hazelwood Ct. *NW10* —6G **23**
Hazelwood Dri. *Pinn* —4B **12**
Headstone. —6A 14
Headstone Dri. *Harr* —5B **14**
Headstone Gdns. *Harr* —6A **14**
Headstone La. *Harr* —2H **13**
Headstone Pde. *Harr* —6B **14**
Headstone Rd. *Harr* —1C **20**
Hearn Ri. *N'holt* —5B **24**
Heathbourne Rd. *Bus H & Stan*
—2C **6**
Heatherfold Way. *Pinn* —5H **11**
Heather Pk. Dri. *Wemb* —4C **28**
Heather Pk. Pde. Wemb —4B **28**
(off Heather Pk. Dri.)
Heather Rd. *NW2* —5H **23**
Heather Wlk. *Edgw* —6D **8**
Heather Way. *Stan* —1D **14**
Heathfield. *Harr* —3D **20**
Heath Lodge. *Bush* —2C **6**
Heath Rd. *Harr* —3A **20**
Heath Rd. *Wat* —1D **4**
Heathside Clo. *N'wd* —6F **3**
Heathside Rd. *N'wd* —5F **3**
Hector. NW9 —3H **17**
(off Five Acre)
Hector Peterson Ho. Wemb —3B **22**
(off Wilson Dri.)
Hedgerley Gdns. *Gnfd* —6A **26**
Hedgeside Rd. *N'wd* —6E **3**
Heights, The. *N'holt* —2F **25**
Helston Clo. *Pinn* —2F **13**
Hemery Rd. *Gnfd* —2B **26**
Heming Rd. *Edgw* —2D **16**
Hemswell Dri. *NW9* —3G **17**
Henbury Way. *Wat* —4D **4**
Henderson Clo. *NW10* —3E **29**
Hendon Wood La. *NW7* —1H **9**
Hendren Clo. *Gnfd* —2B **26**
Henley Clo. *Gnfd* —6A **26**
Henley Gdns. *Pinn* —5B **12**
Henson Path. *Harr* —5H **15**
Henson Pl. *N'holt* —5C **24**
Heracles. NW9 —3H **17**
(off Five Acre)
Herbert Rd. *NW9* —2H **23**
Hereford Ct. *Harr* —6C **14**
Hereford Gdns. *Pinn* —1E **19**
Herga Ct. *Harr* —6C **20**
Herga Rd. *Harr* —6D **14**
Heriots Clo. *Stan* —5E **7**
Heritage Vw. *Harr* —6D **20**
Herkomer Clo. *Bush* —1H **5**
Herlwyn Av. *Ruis* —4A **18**
Hermes Wlk. *N'holt* —6G **25**
Hermitage Way. *Stan* —3E **15**
Herne Clo. *NW10* —2F **29**
Herne Ct. *Bush* —1A **6**
Heron Clo. *NW10* —3G **29**
Heron Clo. *Rick* —3A **2**
Herons Ga. *Edgw* —6C **8**
Heronslea Dri. *Stan* —6A **8**
Heron Wlk. *N'wd* —2F **11**
Hertfordshire & Middlesex
Country Club. —6A **6**
Heswell Grn. *Wat* —4A **4**
Hewett Clo. *Stan* —5F **7**
Heysham Dri. *Wat* —6C **4**
Heywood Av. *NW9* —3G **17**

Heywood Ct. *Stan* —6G **7**
Hibbert Rd. *Harr & W'stone*
—4D **14**
Hibiscus Clo. *Edgw* —5E **9**
Hicks Av. *Gnfd* —6B **26**
Hide Rd. *Harr* —6A **14**
Highbanks Rd. *Pinn* —1H **13**
High Cft. *NW9* —1G **23**
Highcroft Av. *Wemb* —4C **28**
High Elms Clo. *N'wd* —1E **11**
Highfield. *Bus H* —3C **6**
Highfield. *Wat* —4F **5**
Highfield Av. *NW9* —1E **23**
Highfield Av. *Gnfd* —2C **26**
Highfield Av. *Pinn* —1F **19**
Highfield Av. *Wemb* —6B **22**
Highfield Clo. *NW9* —1E **23**
Highfield Clo. *N'wd* —3G **11**
Highfield Cres. *N'wd* —3G **11**
Highfield Rd. *N'wd* —3G **11**
Highgrove Way. *Ruis* —2A **18**
Highland Dri. *Bush* —1H **5**
Highland Rd. *N'wd* —4H **11**
Highlands. *Wat* —2C **4**
Highlands, The. *Edgw* —4D **16**
Highlawn Hall. *Harr* —6C **20**
Highlea Clo. *NW9* —2G **17**
High Mead. *Harr* —1C **20**
Highmead Cres. *Wemb* —4B **28**
High Mdw. Clo. *Pinn* —6C **12**
High Mdw. Cres. *NW9* —1F **23**
High Oaks. *N'wd* —6H **3**
High Rd. *NW10* —3G **29**
High Rd. *Bus H & Bush* —2B **6**
High Rd. *Eastc* —2A **18**
High Rd. *Harr* —2C **14**
High Rd. *Wemb* —2H **27**
High St. *Bush* —1H **5**
High St. *Edgw* —1C **16**
High St. *Harr* —4C **20**
(HA1)
High St. *Harr* —4C **14**
(HA3)
High St. *N'wd* —3H **11**
High St. *Pinn* —5E **13**
High St. *Rick* —2A **2**
High St. *W'stone* —4C **14**
High St. *Wemb* —1B **28**
High St. Harlesden. *NW10* —6H **29**
Highview. *NW7* —4F **9**
High Vw. *Wat* —1H **3**
Highview Av. *Edgw* —5E **9**
High Vw. Ct. *Har W* —2C **14**
Highview Gdns. *Edgw* —5E **9**
Highway, The. *Stan* —3D **14**
Highwood Gro. *NW7* —6F **9**
Highwood Hill. —4H 9
Highwood Hill. *NW7* —3H **9**
High Worple. *Harr* —3F **19**
Hilfield La. S. *Bush* —1D **6**
Hiliary Gdns. *Stan* —3G **15**
Hillbeck Way. *Gnfd* —5B **26**
Hillbury Av. *Harr* —1F **21**
Hill Clo. *Harr* —6C **20**
Hill Clo. *Stan* —5H **7**
Hill Ct. *N'holt* —2G **25**
Hill Cres. *Harr* —1E **21**
Hillcrest Av. *Edgw* —5D **8**
Hillcrest Av. *Pinn* —6D **12**
Hillcrest Gdns. *NW2* —6H **23**
Hillcroft Av. *Pinn* —2F **19**
Hillcroft Cres. *Ruis* —6D **18**
Hillcroft Cres. *Wat* —2B **4**
Hillcroft Cres. *Wemb* —1B **28**
Hill Dri. *NW9* —4E **23**
Hillersdon Av. *Edgw* —6B **8**
Hillfield Av. *NW9* —1G **23**
Hillfield Av. *Wemb* —4A **28**
Hillfield Clo. *Harr* —6A **14**
Hillhouse Av. *Stan* —2D **14**
Hilliard Rd. *N'wd* —3H **11**
Hillingdon Ct. *Harr* —6H **15**
Hill Ri. *Gnfd* —4A **26**
Hill Rd. *Harr* —1E **21**
Hill Rd. *N'wd* —1F **11**

Hill Rd. *Pinn* —1E **19**
Hill Rd. *Wemb* —6F **21**
Hillsborough Grn. *Wat* —4A **4**
Hillside. *NW9* —6F **17**
Hillside. *NW10* —4E **29**
Hillside Av. *Wemb* —1B **28**
Hillside Cres. *Harr* —4A **20**
Hillside Cres. *N'wd* —3A **12**
Hillside Cres. *Wat* —1E **5**
Hillside Dri. *Edgw* —1C **16**
Hillside Gdns. *Edgw* —5B **8**
Hillside Gdns. *Harr* —3A **22**
Hillside Gdns. *N'wd* —2A **12**
Hillside Gro. *NW7* —2H **17**
Hillside Ri. *N'wd* —2A **12**
Hillside Rd. *N'wd* —2A **12**
Hillside Rd. *Pinn* —2B **12**
Hills La. *N'wd* —3G **11**
Hilltop Way. *Stan* —4E **7**
Hillview Av. *Harr* —1A **22**
Hillview Clo. *Pinn* —1F **13**
Hillview Clo. *Wemb* —5B **22**
Hillview Gdns. *NW9* —1F **23**
Hillview Gdns. *Harr* —5G **13**
Hillview Rd. *Pinn* —2F **13**
Hillway. *NW9* —4G **23**
Hindes Rd. *Harr* —1B **20**
Hindhead Gdns. *N'holt* —5E **25**
Hindhead Grn. *Wat* —6C **4**
Hinkler Rd. *Harr* —5H **15**
Hissocks Ho. NW10 —4E **29**
(off Stilton Cres.)
Hitherwell Dri. *Harr* —3B **14**
Hive Clo. *Bus H* —3B **6**
Hive Rd. *Bus H* —3B **6**
(in two parts)
Hodder Dri. *Gnfd* —6D **26**
Hodges Way. *Wat* —1A **4**
Hodson Clo. *Harr* —6F **19**
Hoe, The. *Wat* —3D **4**
Hogarth Ct. *Bush* —1H **5**
Hogarth Ho. N'holt —6D **24**
(off Gallery Gdns.)
Hogarth Rd. *Edgw* —4C **16**
Holbein Ga. *N'wd* —6G **3**
Holcombe Hill. *NW7* —4H **9**
Holden Av. *NW9* —4E **23**
Holland Clo. *Stan* —6F **7**
Holland Rd. *Wemb* —3H **27**
Holland Wlk. *Stan* —6E **7**
Hollies, The. *Harr* —6E **15**
Hollowfield Wlk. *N'holt* —4E **25**
Holly Av. *Stan* —4A **16**
Hollybush Clo. *Harr* —3C **14**
Hollybush Clo. *Wat* —1C **4**
Holly Clo. *NW10* —4G **29**
Hollycroft Av. *Wemb* —5B **22**
Hollydale Clo. *N'holt* —1H **25**
Holly Gro. *NW9* —3E **23**
Hollygrove. *Bush* —1B **6**
Holly Gro. *Pinn* —3E **13**
Holly Lodge. *Harr* —1B **20**
Holmdene Av. *NW7* —1H **17**
Holmdene Av. *Harr* —5H **13**
Holmebury Clo. *Bush* —3C **6**
Holme Way. *Stan* —1D **14**
Holmside Ri. *Wat* —4B **4**
Holmstall Av. *Edgw* —5E **17**
Holmstall Pde. *Edgw* —4E **17**
Holmwood Clo. *Harr* —5A **14**
Holmwood Clo. *N'holt* —3H **25**
Holmwood Gro. *NW7* —6F **9**
Holsworth Clo. *Harr* —1A **20**
Holt Rd. *Wemb* —6F **21**
Holwell Pl. *Pinn* —6E **13**
Holyrood Av. *Harr* —1E **25**
Holyrood Gdns. *Edgw* —5D **16**
Home Clo. *N'holt* —6F **25**
Home Farm Rd. *Rick* —5C **2**
Homefield Clo. *NW10* —3E **29**
Homefield Rd. *Edgw* —1F **17**
Homefield Rd. *Wemb* —1E **27**
Homefirs Ho. *Wemb* —6B **22**
Home Mead. *Stan* —3G **15**
Homestead Pk. *NW2* —6H **23**
Homestead Rd. *Rick* —1A **2**

Honeypot Bus. Cen. *Stan* —3A **16**
Honeypot Clo. *NW9* —6B **16**
Honeypot La. *Stan & NW9* —2H **15**
Honeywood Rd. *NW10* —6H **29**
Honister Clo. *Stan* —3F **15**
Honister Gdns. *Stan* —2F **15**
Honister Pl. *Stan* —3F **15**
Hooking Grn. *Harr* —1H **19**
Hook Wlk. *Edgw* —1E **17**
Hornbeam Clo. *NW7* —4H **9**
Hornbeam Clo. *N'holt* —2F **25**
Hornbuckle Clo. *Harr* —5B **20**
Horns End Pl. *Pinn* —6C **12**
Horsecroft Rd. *Edgw* —2F **17**
Horsenden Av. *Gnfd* —2D **26**
Horsenden Cres. *Gnfd* —2D **26**
Horsenden La. *Gnfd* —3C **26**
Horsenden La. N. *Gnfd* —3D **26**
Horsenden La. S. *Gnfd* —5E **27**
Horse Shoe Cres. *N'holt* —6G **25**
Hotspur Rd. *N'holt* —6G **25**
Howard Clo. *Bus H* —1C **6**
Howards Clo. *Pinn* —4B **12**
Howberry Clo. *Edgw* —1H **15**
Howberry Rd. *Stan & Edgw* —1H **15**
Howton Pl. *Bus H* —2B **6**
Hoylake Gdns. *Ruis* —4B **18**
Hoylake Gdns. *Wat* —5D **4**
Hudson. NW9 —3H 17
(off Near Acre)
Hughenden Av. *Harr* —1F **21**
Hughenden Gdns. *N'holt* —6C **24**
Hume Way. *Ruis* —2A **18**
Hundred Acre. *NW9* —4H **17**
Hunt Ct. N'holt —6D 24
(off Gallery Gdns.)
Huntercrombe Gdns. *Wat* —5C **4**
Hunters Gro. *Harr* —6G **15**
Hunters Hill. *Ruis* —6C **18**
Hurst Clo. *Harr* —3F **25**
Hurstmead Ct. *Edgw* —5D **8**
Hurst Pl. *N'wd* —3D **10**
Hussain Clo. *Harr* —1D **21**
Hutchings Lodge. *Rick* —2A **2**
Hutchinson Ter. *Wemb* —6H **21**
Hutton Clo. *Gnfd* —2B **26**
Hutton Gdns. *Harr* —2A **14**
Hutton La. *Harr* —2A **14**
Hutton Row. *Edgw* —2E **17**
Hutton Wlk. *Harr* —2A **14**
Huxley Clo. *N'holt* —5E **25**
Huxley Gdns. *NW10* —6B **28**
Hyde Cres. *NW9* —1G **23**
Hyde Est. Rd. *NW9* —1H **23**
Hyde Ind. Est., The. *NW9* —1H **23**
Hyde, The. —1H 23
Hyde, The. *NW9* —1H **23**
Hyver Hill. *NW7* —1F **9**

Ilex Rd. *NW10* —3H **29**
Ilkley Rd. *Wat* —6D **4**
Ilmington Rd. *Harr* —2H **21**
Impact Bus. Pk. *Gnfd* —6F **27**
Imperial Clo. *Harr* —2G **19**
Imperial Ct. *S Harr* —3G **19**
Imperial Dri. *Harr* —3G **19**
Imperial Way. *Harr* —2A **22**
Ingleby Dri. *Harr* —6B **20**
Ingle Clo. *Pinn* —5E **13**
Ingram Clo. *Stan* —6G **7**
Ingram Way. *Gnfd* —5B **26**
Inman Rd. *NW10* —5G **29**
Innovation Clo. *Wemb* —5A **28**
Iris Clo. *Edgw* —5E **9**
Iron Bri. Clo. *NW10* —2G **29**
Irvine Av. *Harr* —3A **14**
Irving Av. *N'holt* —5D **24**
Irving Way. *NW9* —1H **23**
Islip Gdns. *Edgw* —2F **17**
Islip Gdns. *N'holt* —4E **25**
Islip Mnr. Rd. *N'holt* —4E **25**
Isobel Ho. *Harr* —1D **20**
Itaska Cotts. *Bush* —2C **6**
Ivanhoe Dri. *Harr* —5E **15**
Iveagh Av. *NW10* —6C **28**

Iveagh Clo. *NW10* —6C **28**
Iveagh Clo. *N'wd* —3D **10**
Iveagh Ter. N'holt —6C 28
(off Iveagh Av.)
Ivinghoe Rd. *Bush* —1B **6**
Ivy Clo. *Harr* —1F **25**
Ivy Clo. *Pinn* —3C **18**
Ivy Wlk. *N'wd* —3G **11**

Jackets La. *Hare & N'wd* —2C **10**
(in two parts)
Jackman M. *NW10* —6G **23**
Jacqueline Clo. *N'holt* —5E **25**
James Bedford Clo. *Pinn* —4C **12**
James Ct. *Wemb* —4G **17**
James Ct. N'holt —6E 25
(off Church Rd.)
James Ct. *N'wd* —3H **11**
James Dudson Ct. *NW10* —4E **29**
Janson Clo. *NW10* —6G **23**
Jasmin Clo. *N'wd* —3H **11**
Jasmine Gdns. *Harr* —5G **19**
Jeffries Ho. *NW10* —4F **29**
Jellicoe Gdns. *Stan* —1D **14**
Jellicoe Rd. *Wat* —1A **4**
Jem Paterson Ct. *Harr* —1C **26**
Jersey Av. *Stan* —4F **15**
Jesmond Av. *Wemb* —3B **28**
Jesmond Way. *Stan* —6A **8**
Jeymer Dri. *Gnfd* —5H **25**
(in two parts)
Joel St. *N'wd & Pinn* —4A **12**
John Buck Ho. *NW10* —5H **29**
John Lamb Ct. *Harr* —3C **14**
John Perrin Pl. *Harr* —3A **22**
Jollys La. *Harr* —4B **20**
Jordan Clo. *Harr* —6F **19**
Jordan Rd. *Gnfd* —5F **27**
Jubilee Clo. *NW9* —2F **23**
Jubilee Clo. *Pinn* —4C **12**
Jubilee Ct. *Harr* —3A **22**
Jubilee Dri. *Ruis* —1D **24**
Jubilee Rd. *Gnfd* —5F **27**
Jubilee Wlk. *Wat* —5B **4**
Julian Hill. *Harr* —5C **20**
Junction Rd. *Harr* —2C **20**
Juniper Clo. *Rick* —4A **2**
Juniper Clo. *Wemb* —2C **28**
Juniper Ct. *Harr* —3D **14**
Juniper Ct. *N'wd* —3A **12**
Juniper Ga. *Rick* —4A **2**
Juxon Clo. *Harr* —3H **13**
JVC Bus. Pk. *NW2* —4H **23**

Kaduna Clo. *Pinn* —1A **18**
Karoline Gdns. *Gnfd* —6B **26**
Kathleen Av. *Wemb* —4A **28**
Keble Clo. *N'holt* —2A **26**
Kedyngton Ho. Edgw —4E 17
(off Burnt Oak B'way.)
Kelly Clo. *NW10* —6F **23**
Kelvin Cres. *Harr* —2C **14**
Kemp. NW9 —3H 17
(off Concourse, The)
Kemp Pl. *Bush* —1G **5**
Kemps Dri. *N'wd* —2H **11**
Kempton Av. *N'holt* —3G **25**
Kendal Rd. *NW10* —1H **29**
Kenelm Clo. *Harr* —6E **21**
Kenilworth Av. *Harr* —1F **25**
Kenilworth Gdns. *Wat* —6C **4**
Kenilworth Rd. *Edgw* —4E **9**
Kenley Av. *NW9* —3G **17**
Kenmere Gdns. *Wemb* —5C **28**
Kenmore Av. *Harr* —6E **15**
Kenmore Gdns. *Edgw* —4D **16**
Kenmore Rd. *Harr* —5H **15**
Kennedy Clo. *Pinn* —1F **13**
Kennedy Ct. *Bush* —3B **6**
Kenneth Gdns. *Stan* —1E **15**
Kent Ct. *NW9* —4G **17**
Kentford Way. *N'holt* —5E **25**
Kent Gdns. *Ruis* —2A **18**
Kenton. —1G 21

Kenton Av. *Harr* —3D **20**
Kenton Ct. *Kent* —2F **21**
Kenton Gdns. *Harr* —1G **21**
Kenton La. *Harr* —1D **14**
Kenton Pk. Av. *Harr* —6H **15**
Kenton Pk. Clo. *Harr* —6G **15**
Kenton Pk. Cres. *Harr* —6H **15**
Kenton Pk. Mans. Kent —1G 21
(off Kenton Rd.)
Kenton Pk. Pde. *Harr* —1G **21**
Kenton Pk. Rd. *Harr* —6G **15**
Kenton Rd. *Harr* —3D **20**
Ken Way. *Wemb* —6E **23**
Kenwood Ho. *Wat* —1F **3**
Kenwyn Dri. *NW2* —5G **23**
Kenyngton Pl. *Harr* —6G **21**
Kerry Av. *Stan* —5G **7**
Kerry Ct. *Stan* —5H **7**
Kestrel Clo. *NW9* —4G **17**
Kestrel Clo. *NW10* —2F **29**
Keswick Gdns. *Wemb* —1A **28**
Kevere Ct. *N'wd* —6D **2**
Kewferry Dri. *N'wd* —6D **2**
Kewferry Rd. *N'wd* —1E **11**
Kidlington Way. *NW9* —4F **17**
Kier Hardie Ct. *NW10* —4H **29**
Kildare Clo. *Ruis* —4C **18**
Killowen Av. *N'holt* —2A **26**
Kilmarnock Rd. *Wat* —5D **4**
Kiln Way. *N'wd* —1G **11**
Kimble Clo. *Wat* —1G **3**
Kimble Cres. *Bush* —1A **6**
Kinch Gro. *Wemb* —3B **22**
Kingfisher Clo. *Har W* —2D **14**
Kingfisher Clo. *N'wd* —3D **10**
Kingfisher Wlk. *NW9* —4G **17**
Kingfisher Way. *NW10* —3F **29**
Kingsbury. —3F 23
Kingsbury Circ. *NW9* —1C **22**
KINGSBURY COMMUNITY
HOSPITAL. —6C **16**
Kingsbury Green. —1E 23
Kingsbury Rd. *NW9* —1C **22**
Kingsbury Trad. Est. *NW9* —2F **23**
Kings Clo. *N'wd* —1H **11**
Kings College Rd. *Ruis* —3A **18**
King's Dri. *Edgw* —5B **8**
Kings Dri. *Wemb* —5D **22**
Kingsfield Av. *Harr* —4A **20**
Kingsfield Ct. *Wat* —1D **4**
Kingsfield Rd. *Harr* —3B **20**
Kingsfield Rd. *Wat* —1D **4**
Kingsfield Ter. *Harr* —4B **20**
Kingsgate. *Wemb* —6E **23**
Kingshill Av. *Harr* —6F **15**
Kingshill Av. *Hay & N'holt* —6A **24**
Kingshill Dri. *Harr* —4F **15**
Kingsley Ct. *Edgw* —4D **8**
Kingsley Rd. *Harr* —1A **26**
Kingsley Rd. *Pinn* —6F **13**
Kingsmead Av. *NW9* —3F **23**
Kingsmead Dri. *N'holt* —4F **25**
Kingsmere Pk. *NW9* —4D **22**
King's Pde. Edgw —6C 8
(off Edgwarebury La.)
Kings Rd. *Harr* —5F **19**
Kings Rd. Bungalows. *S Harr*
—1F **25**
Kingston Clo. *N'holt* —5F **25**
Kingston Pl. *Harr* —2D **14**
Kings Way. *Harr* —6C **14**
Kingsway. *Wemb* —1A **28**
Kingsway Cres. *Harr* —6A **14**
Kingswear Rd. *Ruis* —5A **18**
Kingswood Rd. *Wemb* —6C **22**
Kingthorpe Rd. *NW10* —4F **29**
Kingthorpe Ter. *NW10* —3F **29**
Kinloch Dri. *NW9* —3F **23**
Kinross Clo. *Edgw* —3D **8**
Kinross Clo. *Harr* —4G **15**
Kipling Pl. *Stan* —1D **14**
Kirby Clo. *N'wd* —1H **11**
Kirkcaldy Grn. *Wat* —4C **4**
Kirton Wlk. *Edgw* —2E **17**
Kittiwake Rd. *N'holt* —6D **24**
Knapp Clo. *NW10* —3G **29**

Knatchbull Rd. *NW10* —5F **29**
Kneller Ho. N'holt —6D 24
(off Academy Gdns.)
Knightscote Farm & Agricultural
Mus. —4A **10**
Knights Rd. *Stan* —5G **7**
Knightswood Clo. *Edgw* —3E **9**
Knoll Cres. *N'wd* —3G **11**
(in two parts)
Knoll Ho. *Pinn* —4D **12**
Knowles Ct. *Harr* —2D **20**
(off Gayton Rd.)
Kymberley Rd. *Harr* —2C **20**
Kymes Ct. *S Harr* —5B **20**
Kynance Gdns. *Stan* —3G **15**
Kynaston Clo. *Harr* —2B **14**
Kynaston Wood. *Harr* —2B **14**

Laburnum Ct. *Harr* —2H **19**
Laburnum Ct. *Stan* —5G **7**
Laburnum Gro. *NW9* —3E **23**
Lacey Dri. *Edgw* —5B **8**
Ladbrook Clo. *Pinn* —1F **19**
Ladycroft Wlk. *Stan* —3H **15**
Ladysmith Rd. *Harr* —4C **14**
Laing Dean. *N'holt* —5C **24**
Lake Dri. *Bush* —3B **6**
Lakeland Clo. *Harr* —1B **14**
Lakeside Clo. *Ruis* —6E **11**
Lakeside Way. *Wemb* —1C **28**
Lake, The. *Bush* —2B **6**
Lake Vw. *Edgw* —6B **8**
Laleham Av. *NW7* —4F **9**
Lambert Wlk. *Wemb* —6H **21**
Lamorna Gro. *Stan* —1H **15**
Lanacre Av. *NW9* —3F **17**
Lanark Ct. N'holt —2G 25
(off Newmarket Av.)
Lancaster Clo. *NW9* —2H **17**
Lancaster Rd. *NW10* —2H **29**
Lancaster Rd. *Harr* —1G **19**
Lancaster Rd. *N'holt* —3A **26**
Lancelot Av. *Wemb* —1H **27**
Lancelot Cres. *Wemb* —1H **27**
Lancelot Rd. *Wemb* —1H **27**
Lance Rd. *Harr* —3A **20**
Landford Clo. *Rick* —3A **2**
Landseer Clo. *Edgw* —4C **16**
Landseer Ho. N'holt —6D 24
(off Parkfield Dri.)
Lane Gdns. *Bus H* —1C **6**
Laneside. *Edgw* —6E **9**
Lanfranc Ct. *Harr* —6D **20**
Langdale Gdns. *Gnfd* —6F **27**
Langdon Ct. *NW10* —5G **29**
Langdon Dri. *NW9* —4E **23**
Langham Ct. *Ruis* —2B **24**
Langham Gdns. *Edgw* —2E **17**
Langham Gdns. *Wemb* —5G **21**
Langham Rd. *Edgw* —1E **17**
Langholme. *Bush* —2A **6**
Langland Ct. *N'wd* —2E **11**
Langland Cres. *Stan* —4H **15**
Langland Dri. *Pinn* —2E **13**
Langley Av. *Ruis* —5B **18**
Langley Cres. *Edgw* —4E **9**
Langley Pk. *NW7* —1G **17**
Langmead Dri. *Bus H* —2C **6**
Langton Gro. *N'wd* —6E **3**
Langton Rd. *Harr* —2A **14**
Langtry Rd. *N'holt* —6D **24**
Langworthy. *Pinn* —1G **13**
Lankers Dri. *Harr* —2F **19**
Lansbury Clo. *NW10* —2E **29**
Lansdowne Gro. *NW10* —1G **29**
Lansdowne Rd. *Harr* —3C **20**
Lansdowne Rd. *Stan* —1G **15**
Lantern Clo. *Wemb* —2H **27**
Lapstone Gdns. *Harr* —2G **21**
Larches, The. *N'wd* —1E **11**
Larch Grn. *NW9* —3G **17**
Larken Clo. *Bush* —2A **6**
Larken Dri. *Bush* —2A **6**
Larkfield Av. *Harr* —5F **15**
Larkspur Clo. *NW9* —1D **22**

Larkspur Gro. *Edgw* —5E **9**
Larkswood Ri. *Pinn* —6C **12**
Larkway Clo. *NW9* —6F **17**
Larne Rd. *Ruis* —3A **18**
Larwood Clo. *Gnfd* —2B **26**
Lascelles Av. *Harr* —3B **20**
Latimer Clo. *Pinn* —3C **12**
Latimer Clo. *Wat* —1G **3**
Latimer Gdns. *Pinn* —3C **12**
Lauder Clo. *N'holt* —6D **24**
Laughton Rd. *N'holt* —5D **24**
Launceston Gdns. *Gnfd* —5G **27**
Launceston Rd. *Gnfd* —5G **27**
Laurel Clo. *Wat* —1D **4**
Laurel Ct. *Wemb* —6A **28**
Laurel Gdns. *Harr* —4F **9**
Laurel Pk. *Harr* —2D **14**
Laurels, The. *Bush* —3C **6**
Laurimel Clo. *Stan* —1F **15**
Laurino Pl. *Bush* —3A **6**
Lavender Av. *NW9* —4E **23**
Lavender Gdns. *Har W* —1C **14**
Lavrock La. *Rick* —1B **2**
Lawn Clo. *Ruis* —6A **18**
Lawn Ct. *Wemb* —5B **22**
Lawns, The. *Pinn* —2H **13**
Lawn Va. *Pinn* —4E **13**
Lawrence Av. *NW7* —5G **9**
Lawrence Ct. *NW7* —6G **9**
Lawrence Cres. *Edgw* —4C **16**
Lawrence Gdns. *NW7* —4H **9**
Lawrence Rd. *Pinn* —2D **18**
Lawrence St. *NW7* —5H **9**
Lawrence Way. *NW10* —6F **23**
Lawson Gdns. *Pinn* —5B **12**
Laxcon Clo. *NW10* —2F **29**
Laymead Clo. *N'holt* —3E **25**
Leabank Clo. *Harr* —6C **20**
Lea Cres. *Ruis* —1A **24**
Leadbetter Ct. *NW10* —4F **29**
  (off Melville Rd.)
Leadings, The. *Wemb* —6E **23**
Leaf Clo. *N'wd* —2F **11**
Lea Gdns. *Wemb* —1B **28**
Leamington Cres. *Harr* —6E **19**
Leamington Ho. *Edgw* —6B **8**
Leander Rd. *N'holt* —6G **25**
Learner Dri. *Harr* —5G **19**
Leathsail Rd. *Harr* —6H **19**
Leaver Gdns. *Gnfd* —6B **26**
Leavesden Rd. *Stan* —1E **15**
Ledway Dri. *Wemb* —3B **22**
Leeland Way. *NW10* —1H **29**
Lee Rd. *Gnfd* —5G **27**
Lees Av. *N'wd* —3H **11**
Lee, The. *N'wd* —6H **3**
Leeway Clo. *H End* —2F **13**
Leghorn Rd. *NW10* —6H **29**
Legion Rd. *Gnfd* —5A **26**
Leicester Rd. *NW10* —4F **29**
Leigh Ct. *Harr* —4C **20**
Leigh Rodd. *Wat* —4F **5**
Leighton Av. *Pinn* —5E **13**
Leighton Clo. *Edgw* —4C **16**
Leighton Rd. *Har W* —4B **14**
Leith Clo. *NW9* —4F **23**
Lely Ho. *N'holt* —6D **24**
  (off Academy Gdns.)
Lemark Clo. *Stan* —1G **15**
Lennox Gdns. *NW10* —1H **29**
Leonard Ct. *Har W* —3C **14**
Leopold Rd. *NW10* —4G **29**
Letchford Ter. *Harr* —3H **13**
Letchworth Clo. *Wat* —6D **4**
Leven Clo. *Wat* —6D **4**
Lewes Clo. *N'holt* —3G **25**
Lewgars Av. *NW9* —2E **23**
Lewis Cres. *NW10* —2F **29**
Leybourne Rd. *NW10* —1C **22**
Leys Clo. *Harr* —1B **20**
Leys, The. *Harr* —2B **22**
Library Pde. *NW10* —5G **29**
  (off Craven Pk. Rd.)
Lichfield Rd. *N'wd* —5A **12**
Liddell Clo. *Harr* —5H **15**
Lidding Rd. *Harr* —1H **21**

Light App. *NW9* —4H **17**
Lightley Clo. *Wemb* —5A **28**
Lilburne Wlk. *NW10* —3E **29**
Lilian Board Way. *Gnfd* —2B **26**
Lilley La. *NW7* —6F **9**
Lilliput Av. *N'holt* —5E **25**
Lily Gdns. *Wemb* —6G **27**
Lime Clo. *Harr* —4E **15**
Lime Clo. *Pinn* —5H **11**
Lime Clo. *Wat* —1D **4**
Lime Ct. *Harr* —2D **20**
Limedene Clo. *Pinn* —3D **12**
Lime Gro. *Ruis* —2B **18**
Limes Av. *NW7* —1G **17**
Limesdale Gdns. *Edgw* —4E **17**
Limetree Ct. *Pinn* —2G **13**
  (off Avenue, The)
Lime Tree Wlk. *Bush* —2C **6**
Lincoln Clo. *Gnfd* —5A **26**
Lincoln Clo. *Harr* —1F **19**
Lincoln Rd. *Harr* —1F **19**
Lincoln Rd. *N'wd* —5H **11**
Lincoln Rd. *Wemb* —3H **27**
Lincolns, The. *NW7* —4H **9**
Linden Av. *Ruis* —4A **18**
Linden Av. *Wemb* —2B **28**
Linden Clo. *Ruis* —4A **18**
Linden Clo. *Stan* —6F **7**
Linden Cres. *Gnfd* —3D **26**
Linden Lawns. *Wemb* —1B **28**
Linden Lea. *Pinn* —2F **13**
Linden Clo. *Stan* —1F **15**
Lindholme Ct. *NW9* —3G **17**
  (off Pageant Av.)
Lindsay Dri. *Harr* —2A **22**
Lingfield Clo. *N'wd* —2G **11**
Lingfield Ct. *N'holt* —6G **25**
Linklea Clo. *NW9* —2G **17**
Links Rd. *NW2* —5H **23**
Links Vw. Clo. *Stan* —2E **15**
Links Way. *N'wd* —2E **11**
Link, The. *N'holt* —2F **25**
Link, The. *Pinn* —3C **18**
Link, The. *Wemb* —4G **21**
Link Way. *Pinn* —3D **12**
Linnet Clo. *Bush* —1A **6**
Linslade Clo. *Pinn* —5B **12**
Linthorpe Av. *Wemb* —3G **27**
Liphook Rd. *Wat* —5D **4**
Lismirrane Ind. Pk. *Els* —1F **7**
Lister Ct. *Harr* —3F **21**
Lister Ho. *Wemb* —6E **23**
  (off Barnhill Rd.)
Lit. Bushey La. *Bush* —1B **6**
Little Common. *Stan* —4E **7**
Littlecote Pl. *Pinn* —3E **13**
Littlefield Rd. *Edgw* —2E **17**
Lit. Moss La. *Pinn* —1E **13**
Lit. Orchard Clo. *Pinn* —4E **13**
Lit. Oxhey La. *Wat* —6D **4**
Little Potters. *Bush* —1B **6**
Little Stanmore. —2B **16**
Little Strand. *NW9* —4H **17**
Lit. Stream Clo. *N'wd* —6G **3**
Littleton Cres. *Harr* —5D **20**
Littleton Rd. *Harr* —5D **20**
Livingstone Ct. *W'stone* —5D **14**
Livingstone Ho. *NW10* —4F **29**
Llanover Rd. *Wemb* —6H **21**
Lloyd Ct. *Pinn* —1D **18**
Locket Rd. *Harr* —5C **14**
Lockier Wlk. *Wemb* —6H **21**
Lodge Av. *Harr* —6A **16**
Lodge Clo. *Edgw* —1B **16**
Lodge Ct. *Wemb* —3A **28**
Lodgehill Pk. Clo. *Harr* —5H **19**
Lodore Gdns. *NW9* —1G **23**
Logan Rd. *Wemb* —5H **21**
Lomond Clo. *Wemb* —4B **28**
London Rd. *Harr* —5C **20**
London Rd. *Rick* —3A **2**
London Rd. *Stan* —6G **7**
London Rd. *Wemb* —2A **28**
Long Cliffe Path. *Wat* —4A **4**
Longcroft. *Wat* —1B **4**

Longcrofte Rd. *Edgw* —2H **15**
Long Dri. *Gnfd* —5H **25**
Long Dri. *Ruis* —2C **24**
Long Elmes. *Harr* —3H **13**
Long Fld. *NW9* —2G **17**
Longfield Av. *NW7* —2H **17**
Longfield Av. *Wemb* —4A **22**
Longhook Gdns. *N'holt* —6B **24**
Long Lents Ho. *NW10* —5F **29**
Longley Av. *Wemb* —5B **28**
Longley Rd. *Harr* —1A **20**
Long Mead. *NW9* —3H **17**
Longstone Av. *NW10* —4H **29**
Loning, The. *NW9* —6H **17**
Lonsdale Av. *Wemb* —2A **28**
Lonsdale Clo. *Edgw* —6B **8**
Lonsdale Clo. *Pinn* —2E **13**
Lordship Rd. *N'holt* —4E **25**
Loretto Gdns. *Harr* —6A **16**
Lorne Rd. *Harr* —4D **14**
Lorraine Pk. *Harr* —2C **14**
Lothian Clo. *Wemb* —1E **27**
Lovat Clo. *NW2* —6H **23**
Lovatt Clo. *Edgw* —1D **16**
Lovatt Dri. *Ruis* —1A **18**
Love La. *Pinn* —4D **12**
Lovett Way. *NW10* —2E **29**
Lowell St. *Harr* —
Lwr. Paddock Rd. *Wat* —1E **5**
Lower Place. —6E 29
Lwr. Place Bus. Cen. *NW10* —6F **29**
Lower Rd. *Harr* —4B **20**
Lower Strand. *NW9* —4H **17**
Lower Tail. *Wat* —4E **5**
Lower Tub. *Bush* —1B **6**
Loweswater Clo. *Wemb* —5H **21**
Lowick Rd. *Harr* —6C **14**
Lowlands Rd. *Harr* —2C **20**
Lowlands Rd. *Pinn* —3C **18**
Lowson Gro. *Wat* —1E **5**
Lowswood Clo. *N'wd* —3E **11**
Lowther Rd. *Stan* —5B **16**
Lucas Av. *Harr* —5G **19**
Ludford Clo. *NW9* —4G **17**
Ludlow Clo. *Harr* —1F **25**
Ludlow Mead. *Wat* —4B **4**
Lulworth Av. *Wemb* —3G **21**
Lulworth Clo. *Harr* —6F **19**
Lulworth Dri. *Pinn* —2D **18**
Lulworth Gdns. *Harr* —5E **19**
Lumen Rd. *Wemb* —5H **21**
Lundin Wlk. *Wat* —5D **4**
Luther Clo. *Edgw* —3E **9**
Lychgate Mnr. *Harr* —3C **20**
Lyncroft Av. *Pinn* —1E **19**
Lyndhurst Av. *NW7* —1G **17**
Lyndhurst Av. *Pinn* —3B **12**
Lyndhurst Clo. *NW10* —6F **23**
Lyndhurst Gdns. *Pinn* —3B **12**
Lyndon Av. *Pinn* —1E **13**
Lyneham Wlk. *Pinn* —5H **11**
Lynford Clo. *Edgw* —3E **17**
Lynford Gdns. *Edgw* —4D **8**
Lynmouth Dri. *Ruis* —5B **18**
Lynmouth Gdns. *Gnfd* —6F **27**
Lynmouth Rd. *Gnfd* —5F **27**
Lynn Clo. *Harr* —4B **14**
Lynne Way. *NW10* —3G **29**
Lynne Way. *N'holt* —6D **24**
Lynton Av. *NW9* —6H **17**
Lynton Clo. *NW10* —4A **22**
Lynton Rd. *Harr* —5E **19**
Lynwood Clo. *Harr* —6E **19**
Lynwood Dri. *N'wd* —3H **11**
Lyon Meade. *Stan* —3G **15**
Lyon Pk. Av. *Wemb* —3A **28**
  (in two parts)
Lyon Rd. *Harr* —2D **20**
Lyon Way. *Gnfd* —5C **26**
Lytham Av. *Wat* —6D **4**
Lytham Gro. *W5* —6B **28**
Lytton Clo. *N'holt* —4F **25**
Lytton Rd. *Pinn* —2E **13**

McKellar Clo. *Bus H* —3A **6**
Macmillan Ct. *S Harr* —4G **19**

McNicol Dri. *NW10* —6E **29**
Magellan Ct. *NW10* —4F **29**
  (off Stonebridge Pk.)
Magnaville Rd. *Bus H* —1C **6**
Magnet Rd. *Wemb* —5H **21**
Magnolia Gdns. *Edgw* —5E **9**
Magnolia Pl. *Harr* —3B **22**
Magpie Clo. *NW9* —4G **17**
Magpie Hall Rd. *Bus H* —3C **6**
Mahlon Av. *Ruis* —3A **24**
Main Av. *N'wd* —4E **3**
Main Dri. *Wemb* —6H **21**
Makepeace Rd. *N'holt* —6E **25**
Malcolm Ct. *Stan* —6G **7**
Malcolm Cres. *NW4* —2H **23**
Malden Av. *Gnfd* —2C **26**
Mallard Ct. *Rick* —1A **2**
  (off Swan Clo.)
Mallards Ct. *Wat* —4F **5**
  (off Hangar Ruding)
Mallard Way. *NW9* —3E **23**
Mallard Way. *N'wd* —2E **11**
Mallet Dri. *N'holt* —2F **25**
Mall, The. *Harr* —2B **22**
Malm Clo. *Rick* —3A **2**
Malmesbury Clo. *Pinn* —6H **11**
Malpas Dri. *Pinn* —1D **18**
Malvern Av. *Harr* —6E **19**
Malvern Gdns. *Harr* —6A **16**
Malvern Ho. *Wat* —1F **3**
Malvern Gdns. *Harr* —6A **16**
Mandarin Ct. *NW10* —3F **29**
  (off Mitchellbrook Way)
Mandela Clo. *NW10* —4F **29**
Mandeville Rd. *N'holt* —4G **25**
Manning Gdns. *Harr* —3H **21**
Manningtree Rd. *Ruis* —1B **24**
Manns Rd. *Edgw* —1C **16**
Manor Av. *N'holt* —4F **25**
Manor Clo. *NW7* —6F **9**
Manor Clo. *NW9* —1D **22**
Manor Cotts. *N'wd* —3H **11**
Manor Ct. *Harr* —2D **20**
Manor Ct. *Wemb* —2A **28**
Manor Deerfield Cotts. *NW9*
  —1H **23**
Manor Dri. *NW7* —6F **9**
Manor Dri. *Wemb* —1B **28**
Mnr. Farm Rd. *Wemb* —6H **27**
Manor Gdns. *Ruis* —2C **24**
Manor Ga. *N'holt* —4E **25**
Manor Ho. Dri. *N'wd* —2D **10**
Manor Ho. Est. *Stan* —1F **15**
Manor Pde. *NW10* —6H **29**
  (off High St.)
Manor Pde. *Harr* —2D **20**
Mnr. Park Cres. *Edgw* —1C **16**
Mnr. Park Dri. *Harr* —5H **13**
Mnr. Park Gdns. *Edgw* —6C **8**
Mnr. Park Rd. *NW10* —5H **29**
Manor Rd. *Harr* —2E **21**
Manor Rd. Ho. *Harr* —2E **21**
Manor Way. *NW9* —6G **17**
Manor Way. *Harr* —6H **13**
Manor Way. *Ruis* —4A **18**
Mansard Clo. *Pinn* —5D **12**
Mansfield Av. *Ruis* —4B **18**
Maple Av. *Harr* —5H **19**
Maple Clo. *Ruis* —2B **18**
Maple Gdns. *Edgw* —2G **17**
Maple Gro. *NW9* —3E **23**
March. *NW9* —3H **17**
  (off Concourse, The)
Mardale Dri. *NW9* —1F **23**
Mardon. *Pinn* —2F **13**
Margeholes. *Wat* —3E **5**
Marian Way. *NW10* —4H **29**
Maricas Av. *Harr* —3B **14**
Marion Rd. *NW7* —6H **9**
Markab Rd. *N'wd* —6H **3**
Markeston Grn. *Wat* —5D **4**
Market La. *Edgw* —3E **17**
Market Way. *Wemb* —2A **28**
Marlborough Av. *Edgw* —4D **8**
Marlborough Ct. *Harr* —6B **14**
Marlborough Ct. *N'wd* —2H **11**
Marlborough Hill. *Harr* —6B **14**

Marley Clo. *Gnfd* —6G **25**
Marlins, The. *N'wd* —6H **3**
Marloes Clo. *Wemb* —1H **27**
Marlow Ct. *NW9* —5H **17**
Marnham Ct. *Wemb* —2G **27**
Marnham Cres. *Gnfd* —6H **25**
Marquis Clo. *Wemb* —4B **28**
Marriotts Clo. *Pinn* —2H **23**
Marshall Clo. *Harr* —3B **20**
Marsh Clo. *NW7* —4H **9**
Marsh Dri. *Wemb* —2H **23**
Marsh Hall. *Wemb* —6B **22**
Marsh La. *NW7* —4G **9**
Marsh La. *Stan* —6G **7**
Marsh Rd. *Pinn* —6E **13**
Marsh Rd. *Wemb* —6H **27**
Marsworth Av. *Pinn* —3D **12**
Marsworth Clo. *Wat* —1G **3**
Marthorne Cres. *Harr* —4B **14**
Martin Dri. *N'holt* —2F **25**
Martins, The. *Wemb* —6B **22**
Martock Clo. *Harr* —6E **15**
Martynside. *NW9* —3H **17**
Maryatt Av. *Harr* —1H **25**
Mary Clo. *Stan* —6B **16**
Mary Peters Dri. *Gnfd* —2B **26**
Masefield Clo. *Stan* —6D **6**
Masons Av. *Harr* —6D **14**
Masson Av. *Ruis* —3C **24**
Matlock Cres. *Wat* —4C **4**
Matthews Rd. *Gnfd* —2B **26**
Maundeby Wlk. *NW10* —3G **29**
Maurier Clo. *N'holt* —5C **24**
Maxted Pk. *Harr* —3C **20**
Maxwell Ri. *Wat* —1E **5**
Maxwell Rd. *N'wd* —2F **11**
Maxwelton Av. *NW7* —6F **9**
Maxwelton Clo. *NW7* —6F **9**
Maybank Av. *Wemb* —2D **26**
Maybank Gdns. *Pinn* —1A **18**
Maybury Ct. *Harr* —2B **20**
Maychurch Clo. *Stan* —7H **15**
Maycock Gro. *N'wd* —1H **11**
Maycroft. *Pinn* —4B **12**
Mayfield Av. *Harr* —1F **21**
Mayfield Dri. *Pinn* —6F **13**
Mayfields. *Wemb* —5C **22**
Mayfields Clo. *Wemb* —5C **22**
Mayfly Clo. *Eastc* —3C **18**
Mayfly Gdns. *N'holt* —6D **24**
May Gdns. *Els* —1H **7**
May Gdns. *Wemb* —6D **28**
Maylands Rd. *Wat* —5C **4**
Mayo Rd. *NW10* —3G **29**
Maytree Clo. *Edgw* —4E **9**
Maytree La. *Stan* —2E **15**
Mead Clo. *Harr* —3B **14**
Mead Ct. *NW9* —1E **23**
Meadfield. *Edgw* —3D **8**
  (in two parts)
Mead Fld. *Harr* —6F **19**
Meadfield Grn. *Edgw* —3D **8**
Meadowbank. *Wat* —1C **4**
Meadowbank Rd. *NW9* —3F **23**
Meadow Clo. *N'holt* —6G **25**
Meadow Clo. *Ruis* —2A **18**
Meadowcroft. *Bush* —1H **5**
  (off High St.)
Meadow Gdns. *Edgw* —1D **16**
Meadow Gth. *NW10* —3E **29**
Meadow Rd. *Pinn* —6D **12**
Meadow Vw. *Harr* —4C **20**
Meadow Way. *NW9* —1F **23**
Meadow Way. *Ruis* —2B **18**
Meadow Way. *Wemb* —1H **27**
Meadow Way, The. *Harr* —3C **14**
Mead Plat. *NW10* —3E **29**
Mead Rd. *Edgw* —1C **16**
Meads, The. *Edgw* —1F **17**
Mead Ter. *Wemb* —1H **27**
Mead, The. *Wat* —4E **5**
Meadway Clo. *Pinn* —1H **13**
Medlar Clo. *N'holt* —6A **24**
Medway Dri. *Gnfd* —6D **26**
Medway Gdns. *Wemb* —1E **27**
Medway Pde. *Gnfd* —6D **26**

Melbourne Av. *Pinn* —5H **13**
Melbourne Rd. *Bush* —1H **5**
Melbury Rd. *Harr* —1B **22**
Melcombe Gdns. *Harr* —2B **22**
Melrose Av. *Gnfd* —6H **25**
Melrose Clo. *Gnfd* —6H **25**
Melrose Gdns. *Edgw* —5D **16**
Melrose Rd. *Pinn* —6F **13**
Melthorne Dri. *Ruis* —6C **18**
Melton Clo. *Ruis* —4C **18**
Melville Av. *Gnfd* —6H **25**
Melville Ct. *N'wd* —1F **11**
Melville Rd. *NW10* —4F **29**
Mentmore Clo. *Harr* —2G **21**
Mepham Cres. *Harr* —2A **14**
Mepham Gdns. *Harr* —2A **14**
Mercer Pl. *Pinn* —4C **12**
Mercury. *NW9* —3H **17**
  (off Concourse, The)
Meredith Clo. *Pinn* —2D **12**
Merivale Rd. *Harr* —3A **20**
Merley Ct. *NW9* —4E **23**
Merlin. *NW9* —3H **17**
  (off Concourse, The)
Merlin Clo. *N'holt* —6C **24**
Merlin Cres. *Edgw* —3B **16**
Merlins Av. *Harr* —6F **19**
Merrion Av. *Stan* —6H **7**
Merrows Clo. *N'wd* —1E **11**
Merryfield Gdns. *Stan* —6G **7**
Merry Hill. —2G 5
Merry Hill Mt. *Bush* —2H **5**
Merry Hill Rd. *Bush* —1F **5**
Mersey Wlk. *N'holt* —6G **25**
Mersham Dri. *NW9* —1C **22**
Merton Av. *N'holt* —2A **26**
Merton Rd. *Harr* —4A **20**
Metheringham Way. *NW9* —3G **17**
Methuen Clo. *Edgw* —2C **16**
Methuen Rd. *Edgw* —2C **16**
Metro Cen., The. *Wat* —1E **3**
Metro Trad. Est. *Wemb* —1D **28**
Meyrick Rd. *NW10* —3H **29**
Mezen Clo. *N'wd* —6F **3**
MICHAEL SOBELL HOUSE
  (HOSPICE). —1D **10**
Middle Dene. *NW7* —4F **9**
Middle Path. *Harr* —4B **20**
Middle Rd. *Harr* —5B **20**
Middlesex Ct. *Harr* —1D **20**
Middleton Av. *Gnfd* —6B **26**
Middleton Dri. *Pinn* —5A **12**
Middle Way, The. *Harr* —4D **14**
Midholm. *Wemb* —4C **22**
Midstrath Rd. *NW10* —1G **29**
Mildred Av. *N'holt* —2H **25**
Miles Lodge. *Harr* —1B **20**
Milford Gdns. *Edgw* —2C **16**
Milford Gdns. *Wemb* —1H **27**
Millais Ct. *N'holt* —6D **24**
  (off Academy Gdns.)
Millais Gdns. *Edgw* —4C **16**
Millennium Wharf. *Rick* —1A **2**
Miller Clo. *Pinn* —4C **12**
Millers Ct. *Wemb* —6A **28**
  (off Vicars Bri. Clo.)
Millet Rd. *Gnfd* —6H **25**
Mill Farm Clo. *Pinn* —4C **12**
Millfield Ho. *Wat* —1F **3**
Millfield Rd. *Edgw* —4E **17**
Mill Hill. —6G 9
Mill Hill Circus. (Junct.) —6H **9**
Mill Hill Golf Course. —2F **9**
Mill Hill Ind. Est. *NW7* —1H **17**
Mill Hill Pk. —1H 17
Milling Rd. *Edgw* —2F **17**
Mill Ridge. *Edgw* —6B **8**
Millway. *NW7* —5G **9**
Millway Gdns. *N'holt* —3F **25**
Milman Clo. *Pinn* —5D **12**
Milne Fld. *Pinn* —2G **13**
Milton Av. *NW9* —5E **17**
Milton Av. *NW10* —5E **29**
Milton Dri. *Wemb* —5E **23**
Milton Rd. *NW7* —6H **9**
Milton Rd. *NW9* —3H **23**
Milton Rd. *Harr* —6C **14**

Mimosa Lodge. *NW10* —2H **29**
Minehead Rd. *Harr* —6G **19**
Minet Av. *NW10* —6G **29**
Minet Gdns. *NW10* —6G **29**
Minterne Rd. *Harr* —1B **22**
Mirren Clo. *Harr* —1E **21**
Missenden Ho. *Wat* —1G **3**
  (off Chenies Way)
Mitchell. *NW9* —3H **17**
  (off Concourse, The)
Mitchellbrook Way. *NW10* —3F **29**
Mitchell Way. *NW10* —3E **29**
Moat Dri. *Harr* —6A **14**
Moat Farm Rd. *N'holt* —3F **25**
Moat Mount Open Space. —2G **9**
Moelyn M. *Harr* —5B **20**
Mohammedi Pk. *N'holt* —5G **25**
Moineau. *NW9* —3H **17**
  (off Concourse, The)
Mollison Way. *Edgw* —4B **16**
Monks Clo. *Harr* —5G **19**
Monks Clo. *Ruis* —1D **24**
Monks Pk. *Wemb* —3D **28**
Monks Pk. Gdns. *Wemb* —4D **28**
Monro Gdns. *Harr* —2C **14**
Montacute Rd. *Bus H* —1C **6**
Montague Hall Pl. *Bush* —1G **5**
Monterey Pl. Shop. Cen. *NW7*
  —6G **9**
Montesole Ct. *Pinn* —4C **12**
Montgomery Rd. *Edgw* —1B **16**
Montpelier Ri. *Wemb* —4H **21**
Montrose Av. *Edgw* —4E **17**
Montrose Ct. *NW9* —4E **17**
Montrose Ct. *Harr* —1H **19**
Montrose Cres. *Wemb* —3A **28**
Montrose Rd. *Harr* —4C **14**
Montrose Wlk. *Stan* —1F **15**
Moorcroft. *Edgw* —3D **16**
Moorcroft Way. *Pinn* —1E **19**
Moorhouse. *NW9* —3H **17**
Moorhouse Rd. *Harr* —5H **15**
Moorlands. *N'holt* —5E **25**
Moor La. *Rick* —2B **2**
Moor La. Crossing. *Wat* —1E **3**
Moor Park. —4E 3
Moor Pk. —4C 2
Moor Pk. Golf Course. —3D 2
Moor Pk. Ind. Cen. *Wat* —1E **3**
Moor Pk. Rd. *N'wd* —1F **11**
Moortown Rd. *Wat* —5C **4**
Moor Vw. *Wat* —1A **4**
Moot Ct. *NW9* —1C **22**
Moray Clo. *Edgw* —3D **8**
Mordaunt Ho. *NW10* —5F **29**
Mordaunt Rd. *NW10* —5F **29**
Morden Gdns. *Gnfd* —2D **26**
Morecambe Gdns. *Stan* —5H **7**
Morford Clo. *Ruis* —3B **18**
Morford Way. *Ruis* —3B **18**
Morgan Clo. *N'wd* —1H **11**
Morland Gdns. *NW10* —4F **29**
Morland Rd. *Harr* —1A **22**
Morley Cres. *Edgw* —3E **9**
Morley Cres. *Ruis* —5C **18**
Morley Cres. E. *Stan* —4G **15**
Morley Cres. W. *Stan* —3G **15**
Morriston Clo. *Wat* —6C **4**
Morritt Ho. *Wemb* —2H **27**
  (off Talbot Rd.)
Mortimer Rd. *Bush* —1H **5**
Morton Ct. *N'holt* —2A **26**
Moss Clo. *Pinn* —4F **13**
Moss Clo. *Rick* —3A **2**
Moss La. *Pinn* —3E **13**
Mostyn Av. *Wemb* —2B **28**
Mostyn Rd. *Edgw* —2G **17**
Mountbatten Ho. *N'wd* —1G **11**
Mountbel Rd. *Stan* —3E **15**
Mount Dri. *Harr* —1F **19**
Mount Dri. *Wemb* —5E **23**
Mount Gro. *Edgw* —4E **9**
Mountington Pk. Clo. *Harr* —2H **21**
Mt. Park Av. *Harr* —5B **20**
Mount Pk. Rd. *Harr* —6B **20**
Mount Pk. Rd. *Pinn* —1A **18**

Mount Pleasant. *Ruis* —5C **18**
Mount Pleasant. *Wemb* —5A **28**
Mountside. *Stan* —3D **14**
Mt. Stewart Av. *Harr* —3H **21**
Mount, The. *N'holt* —2H **25**
Mount, The. *Wemb* —5D **22**
MOUNT VERNON HOSPITAL.
  —1D **10**
Mount Vw. *NW7* —4F **9**
Mount Vw. *N'wd* —1H **11**
Mount Vw. Rd. *NW9* —1F **23**
Mowbray Gdns. *N'holt* —5G **25**
Mowbray Rd. *Edgw* —5C **8**
Mowbray Pde. *N'holt* —5G **25**
Mowbray Rd. *Edgw* —5C **8**
Moyne Pl. *NW10* —6C **28**
Muirfield Clo. *Wat* —6C **4**
Muirfield Grn. *Wat* —5B **4**
Muirfield Rd. *Wat* —5B **4**
Mulberry Clo. *N'holt* —6E **25**
Mulgrave Rd. *NW10* —1H **29**
Mulgrave Rd. *Harr* —5E **21**
Mullion Clo. *Harr* —3H **13**
Mullion Wlk. *Harr* —5D **4**
Mundesley Clo. *Wat* —5C **4**
Mungo Pk. Clo. *Bus H* —3A **6**
Murray Av. *Harr* —2D **20**
Murray Cres. *Pinn* —3D **12**
Murray Rd. *N'wd* —3G **11**
Myrtle Av. *Ruis* —3A **18**
Myrtleside Clo. *N'wd* —2F **11**

Nairn Grn. *Wat* —4A **4**
Nairn Rd. *Ruis* —3C **24**
Nan Clark's La. *NW7* —3G **9**
Nancy Downs. *Wat* —1C **4**
Nansen Ho. *NW10* —4F **29**
  (off Stonebridge Pk.)
Napier. *NW9* —3H **17**
Napier Rd. *Wemb* —3H **27**
Nardini. *NW9* —3H **17**
  (off Concourse, The)
Naresby Fold. *Stan* —1G **15**
Nash Ct. *Kent* —2F **21**
Nash Way. *Kent* —2F **21**
Nathans Rd. *Wemb* —4A **21**
Neal Clo. *N'wd* —3A **12**
Near Acre. *NW9* —3H **17**
Neasden. —6G 23
Neasden Clo. *NW10* —2G **29**
Neasden Junction. (Junct.) —1F **29**
Neasden La. *NW10* —6G **23**
Neasden La. N. *NW10* —6F **23**
Neeld Cres. *Wemb* —2C **28**
Neeld Pde. *Wemb* —2B **28**
Nelson Rd. *Harr* —4B **20**
Nelson Rd. *Stan* —1G **15**
Neptune Rd. *Harr* —2B **20**
Nettleden Av. *Wemb* —3C **28**
Nevil Clo. *N'wd* —6F **3**
Newbiggin Path. *Wat* —5C **4**
Newbolt Rd. *Stan* —6D **6**
Newbury Clo. *N'holt* —3F **25**
Newbury Way. *N'holt* —3E **25**
New Bus. Cen., The. *NW10* —6H **29**
Newcombe Pk. *NW7* —6G **9**
Newcombe Rd. *Wemb* —5B **28**
New Ct. *N'holt* —2H **25**
Newdene Av. *N'holt* —6D **24**
New Farm La. *N'wd* —3G **11**
Newgale Gdns. *Edgw* —3B **16**
Newland Clo. *Pinn* —1E **13**
Newlands. —4A 8
Newlands Clo. *Edgw* —4A **8**
Newlands Clo. *Wemb* —3G **27**
Newlyn Gdns. *Harr* —3F **19**
Newlyn Ho. *Pinn* —2E **13**
Newmarket Av. *N'holt* —2G **25**
Newnham Av. *Ruis* —4C **18**
Newnham Clo. *N'holt* —3A **26**
Newnham Gdns. *N'holt* —3A **26**
Newnham Way. *Harr* —1A **22**
New Pk. Clo. *N'holt* —3E **25**
New Pond Pde. *Ruis* —6A **18**
Newport Mead. *Wat* —5D **4**

Newquay Cres.—Parkview Ct.

Newquay Cres. *Harr* —5E **19**
Newquay Gdns. *Wat* —3B **4**
New Rd. *NW7* —1H **9**
New Rd. *Harr* —1D **26**
Newton Clo. *Harr* —5G **19**
Newton Rd. *Harr* —4C **14**
Newton Rd. *Wemb* —4B **28**
Newton Wlk. *Edgw* —3D **16**
New Way Rd. *NW9* —6G **17**
Nibthwaite Rd. *Harr* —1C **20**
Nicholas Clo. *Gnfd* —6H **25**
Nicholas Way. *N'wd* —3E **11**
Nicholson Dri. *Bush* —2A **6**
Nicola Clo. *Harr* —4B **14**
Nicoll Ct. *NW10* —5G **29**
Nicoll Rd. *NW10* —5G **29**
Nicolson. *NW9* —3G **17**
Nigel Clo. *N'holt* —5E **25**
Nighthawk. *NW9* —3H **17**
Nightingale Av. *Harr* —4F **21**
Nightingale Clo. *Pinn* —1C **18**
Nightingale Rd. *NW10* —6H **29**
Nimmo Dri. *Bus H* —1B **6**
Nimrod. *NW9* —3G **17**
Noel. *NW9* —3G **17**
Nolton Pl. *Edgw* —3B **16**
Norbreck Gdns. *NW10* —6B **28**
Norbreck Pde. *NW10* —6A **28**
Norbury Gro. *NW7* —4G **9**
Norcombe Gdns. *Harr* —2G **21**
Norfolk Rd. *NW10* —4G **29**
Norfolk Rd. *Harr* —1H **19**
Norfolk Rd. *Rick* —2A **2**
Normanby Rd. *NW10* —1H **29**
Norman Cres. *Pinn* —3C **12**
Norman's Clo. *NW10* —3F **29**
Normans Fld. Clo. *Bush* —1H **5**
Norman's Mead. *NW10* —3F **29**
Norris. NW9 —3H **17**
  (off Concourse, The)
Norseman Way. *Gnfd* —5H **25**
North Acre. *NW9* —3G **17**
North App. *N'wd* —3E **3**
North Av. *Harr* —2H **19**
Northbrook Dri. *N'wd* —3G **11**
Northchurch Rd. *Wemb* —3C **28**
N. Circular Rd. *NW2* —6G **23**
N. Circular Rd. *NW10* —6B **28**
Northcote. *Pinn* —4C **12**
Northcote Rd. *NW10* —4G **29**
North Dene. *NW7* —4F **9**
Northdown Clo. *Ruis* —6A **18**
N. End Rd. *Wemb* —6C **22**
Northfield Av. *Pinn* —6D **12**
Northfield Ind. Est. *NW10* —6C **28**
Northfield Ind. Est. *Wemb* —5C **28**
Northgate. *N'wd* —2E **11**
Northgate Dri. *NW9* —2G **23**
North Grn. *NW9* —2G **17**
North Harrow. —1H 19
Northolm. *Edgw* —5F **9**
Northolme Gdns. *Edgw* —3C **16**
Northolt. —4G 25
Northolt Av. *Ruis* —2B **24**
Northolt Gdns. *Gnfd* —2D **26**
Northolt Rd. *Harr* —1H **25**
North Pde. *Edgw* —4C **16**
North Rd. *Edgw* —3D **16**
North Rd. *Harr* —3E **21**
Northumberland Rd. *Harr* —1F **19**
North Vw. *Pinn* —3C **18**
N. View Cres. *NW10* —1H **29**
North Way. *NW9* —5D **16**
North Way. *Pinn* —6D **12**
Northway. *Rick* —1A **2**
Northway Cir. *NW7* —5F **9**
Northway Cres. *NW7* —5F **9**
North Wembley. —6H 21
Northwick Av. *Harr* —2E **21**
Northwick Circ. *Harr* —2G **21**
Northwick Clo. *Harr* —4E **21**
NORTHWICK PARK HOSPITAL.
  —3E **21**
Northwick Pk. Rd. *Harr* —2D **20**
Northwick Rd. *Wat* —5C **4**

Northwick Rd. *Wemb* —5H **27**
Northwick Wlk. *Harr* —3D **20**
Northwold Dri. *Pinn* —4C **12**
Northwood. —1G 11
NORTHWOOD & PINNER
  COMMUNITY HOSPITAL. —3A 12
Northwood Gdns. *Gnfd* —2D **26**
Northwood Golf Course. —3F 11
Northwood Hills. —4A 12
Northwood Hills Cir. *N'wd* —3A **12**
Northwood Rd. *Hare* —3A **10**
Northwood Way. *Hare* —3A **10**
Northwood Way. *N'wd* —2H **11**
Norton Rd. *Wemb* —3H **27**
Norval Rd. *Wemb* —5F **21**
Norwich Rd. *Gnfd* —5H **25**
Norwich Rd. *N'wd* —5H **11**
Norwich Wlk. *Edgw* —2E **17**
Norwood Av. *Wemb* —5B **28**
Norwood Dri. *Harr* —2F **19**
Nower Ct. *Pinn* —6F **13**
Nower Hill. *Pinn* —6F **13**
Nugents Ct. *Pinn* —3E **13**
Nugent's Pk. *Pinn* —3E **13**
Nurse Clo. *Edgw* —3E **17**
Nursery Rd. *Pinn* —5C **12**
Nutfield Gdns. *N'holt* —6C **24**
Nutfield Rd. *NW2* —6H **23**
Nutt Gro. *Edgw* —3H **7**

O

Oak Ct. *N'wd* —1F **11**
Oakcroft Clo. *Pinn* —4B **12**
Oakdale Av. *Harr* —1A **22**
Oakdale Av. *N'wd* —4A **12**
Oakdale Rd. *Wat* —5C **4**
Oakdale Rd. *Wat* —4C **4**
Oakdene Clo. *Pinn* —2F **13**
Oakfield Av. *Harr* —5F **15**
Oakfield Clo. *Ruis* —2A **18**
Oak Gdns. *Edgw* —4D **16**
Oak Glade. *N'wd* —3D **10**
Oak Gro. *Ruis* —3B **18**
Oakhill Av. *Pinn* —4E **13**
Oakington Av. *Harr* —3G **19**
Oakington Av. *Wemb* —6B **22**
Oakington Mnr. Dri. *Wemb* —2C **28**
Oaklands Av. *Wat* —2B **4**
Oaklands Clo. *Wemb* —2H **27**
Oaklands Ct. NW10 —5G **29**
  (off Nicoll Rd.)
Oaklands Clo. *Wemb* —2H **27**
Oaklands Ga. *N'wd* —1G **11**
Oakleigh Av. *Edgw* —4D **16**
Oakleigh Ct. *Edgw* —4E **17**
Oakleigh Gdns. *Edgw* —6B **8**
Oakleigh Rd. *Pinn* —1F **13**
Oakley Grange. *Harr* —6A **20**
Oakley Rd. *Harr* —2C **20**
Oak Lodge Clo. *Stan* —6G **7**
Oaklodge Way. *NW7* —6H **9**
Oakmead Ct. *Stan* —5G **7**
Oak Meade. *Pinn* —1G **13**
Oakmead Gdns. *Edgw* —5F **9**
Oak Path. Bush —1H **5**
  (off Mortimer Clo.)
Oaks, The. *Wat* —2C **4**
Oak Tree Clo. *Stan* —2G **15**
Oak Tree Ct. *N'holt* —6C **24**
Oak Tree Dell. *NW9* —1F **23**
Oakwood Ct. *Harr* —2B **20**
Oakwood Cres. *Gnfd* —3E **27**
Oakwood Dri. *Edgw* —1E **17**
Oakwood Rd. *Pinn* —4B **12**
Odeon Cto. *NW10* —5G **29**
Odeon Pde. Gnfd —3F **27**
  (off Allendale Rd.)
Odyssey Bus. Pk. *Ruis* —2B **24**
Ohio Cotts. *Pinn* —4C **12**
Oldberry Rd. *Edgw* —1F **17**
Oldborough Rd. *Wemb* —6G **21**
Old Bri. Clo. *N'holt* —6G **25**
Old Church La. *NW9* —5F **23**
Old Church La. *Stan* —6F **7**
Oldfield Clo. *Gnfd* —2C **26**
Oldfield Clo. *Stan* —6E **7**

Oldfield Farm Gdns. *Gnfd* —5B **26**
Oldfield La. N. *Gnfd* —6B **26**
Oldfield La. S. *Gnfd* —6A **26**
Oldfield Rd. *NW10* —4G **29**
Oldfields Cir. *N'holt* —3A **26**
Old Forge Clo. *Stan* —5E **7**
Old Gannon Clo. *N'wd* —5E **3**
Old Hall Clo. *Pinn* —3E **13**
Old Hall Dri. *Pinn* —3E **13**
Old Hatch Mnr. *Ruis* —3A **18**
Old Kenton La. *NW9* —1D **22**
Old Lodge Way. *Stan* —6E **7**
Old Mews. *Harr* —1C **20**
Old Oak La. *NW10* —6H **29**
Old Rectory Gdns. *Edgw* —1C **16**
Old Redding. *Harr* —6H **5**
Old Ruislip Rd. *N'holt* —6C **24**
Old's App. *Wat* —2E **3**
Old's Clo. *Wat* —1E **3**
Old S. Clo. *H End* —3D **12**
Oliver Bus. Pk. *NW10* —6E **29**
Oliver Rd. *NW10* —6E **29**
Olwen M. *Pinn* —4D **12**
Olympic Way. *Gnfd* —5A **26**
Olympic Way. *Wemb* —6C **22**
On the Hill. *Wat* —3E **5**
Orange Hill Rd. *Edgw* —2E **17**
Orchard Clo. *NW2* —6H **23**
Orchard Clo. *Bus H* —2B **6**
Orchard Clo. *Edgw* —1A **16**
Orchard Clo. *N'holt* —3A **26**
Orchard Clo. *Wemb* —5A **28**
Orchard Ct. *Edgw* —6B **8**
Orchard Cres. *Edgw* —6E **9**
Orchard Dri. *Edgw* —6B **8**
Orchard Ga. *NW9* —6G **17**
Orchard Ga. *Gnfd* —3F **27**
Orchard Gro. *Edgw* —3C **16**
Orchard Gro. *Harr* —1C **22**
Orchard Ri. *Pinn* —5H **11**
Orchid Ct. *Wemb* —5A **22**
Orde. *NW9* —3H **17**
Orford Ct. *Stan* —1G **15**
Oriel Way. *N'holt* —4H **25**
Orion Way. *N'wd* —5H **3**
Orley Ct. *Harr* —1D **26**
Orley Farm Rd. *Harr* —6C **20**
Ormesby Way. *Harr* —2B **22**
Ormonde Rd. *N'wd* —5F **3**
Ormsby Gdns. *Gnfd* —6A **26**
Ormskirk Rd. *Wat* —5D **4**
Osbourne Ct. *Harr* —6H **13**
Osmond Clo. *Harr* —5A **20**
Osram Rd. *Wemb* —6H **21**
Otley Way. *Wat* —4C **4**
Otway Gdns. *Bush* —1C **6**
Oulton Way. *Wat* —5F **5**
Oundle Av. *Bush* —1A **6**
Outgate Rd. *NW10* —4H **29**
Oval Ct. *Edgw* —2E **17**
Overbrook Wlk. *Edgw* —2C **16**
  (in two parts)
Overton Clo. *NW10* —3E **29**
Ovesdon Av. *Harr* —4F **19**
Owen Way. *NW10* —3E **29**
Oxenpark Av. *Wemb* —3A **22**
Oxford Clo. *N'wd* —5F **3**
Oxford Dri. *Ruis* —5C **18**
Oxford Pl. NW10 —6F **23**
  (off Neasden La. N.)
Oxford Pl. NW10 —6F **23**
  (off Press Rd.)
Oxford Rd. *Harr* —2A **20**
Oxford Rd. *W'stone* —5D **14**
Oxhey. —1D 4
Oxhey Av. *Wat* —1D **4**
Oxhey Dri. *N'wd & Wat* —6B **4**
Oxhey La. *Wat & Harr* —2E **5**
Oxhey Pk. Golf Course. —3C 4
Oxhey Ridge Clo. *N'wd* —5B **4**
Oxhey Rd. *Wat* —1C **4**
Oxleay Rd. *Harr* —4G **19**

P

Paddock Clo. *N'holt* —6G **25**
Paddock Rd. *NW2* —6H **23**

Paddock Rd. *Ruis* —6D **18**
Paddocks Clo. *Harr* —1H **25**
Paddocks Grn. *NW9* —4D **22**
Paddocks, The. *Wemb* —5D **22**
Paddock, The. *NW9* —1C **22**
Pageant Av. *NW9* —3F **17**
Page Clo. *Harr* —2B **22**
Paignton Rd. *Ruis* —6A **18**
Paines Clo. *Pinn* —5E **13**
Paines La. *Pinn* —3E **13**
Palace Ct. *Harr* —2A **22**
Palace Rd. *Ruis* —1E **25**
Palermo Rd. *NW10* —1C **29**
Palmer Ct. *NW10* —5F **29**
  (in two parts)
Palmerston Cen. *W'stone* —5D **14**
Palmerston Rd. *Harr* —5C **14**
Pamela Gdns. *Pinn* —1B **18**
Pangbourne Dri. *Stan* —6H **7**
Panther Dri. *NW10* —2F **29**
Pantiles, The. *Bush* —2B **6**
Parade, The. *Gnfd* —2F **27**
Parade, The. *Wat* —4D **4**
  (Fairfield Av.)
Parade, The. *Wat* —4E **5**
  (Parade, The)
Pargreaves Ct. *Wemb* —5C **22**
Park Av. *NW10* —6B **28**
  (in two parts)
Park Av. *Ruis* —2A **18**
Park Chase. *Wemb* —1B **28**
Park Clo. *NW10* —6B **28**
Park Clo. *Harr* —3C **14**
Park Clo. *Rick* —5D **2**
Park Ct. *Harr* —3A **22**
Park Ct. *Wemb* —2A **28**
Park Cres. *Harr* —3C **14**
Park Cft. *Edgw* —3E **17**
Park Dri. *Har W* —1B **14**
Park Dri. *N Har* —3G **19**
Pk. Farm Clo. *Pinn* —1B **18**
Parkfield Av. *Harr* —4A **14**
Parkfield Av. *N'holt* —6D **24**
Parkfield Clo. *Edgw* —1D **16**
Parkfield Clo. *N'holt* —6E **25**
Parkfield Cres. *Harr* —4A **14**
Parkfield Cres. *Ruis* —5E **19**
Parkfield Dri. *N'holt* —6D **24**
Parkfield Gdns. *Harr* —5H **13**
Parkfield Ho. *N Har* —3H **13**
Parkfield Rd. *Harr* —6A **20**
Parkfield Rd. *N'holt* —6E **25**
Parkfields Av. *NW9* —4F **23**
Park Gdns. *NW9* —5D **16**
Park Gates. *Harr* —1G **25**
Park Gro. *Edgw* —6B **8**
Park La. *Harr* —6A **20**
Park La. *Stan* —4E **7**
Park La. *Wemb* —2A **28**
Park Lawns. *Wemb* —1B **28**
Parklea Clo. *NW9* —3G **17**
Park Mead. *Harr* —6H **19**
Parkmead Gdns. *NW7* —1H **17**
Park Pde. *NW10* —6H **29**
Park Pl. *Wemb* —1B **28**
Park Ri. *Harr* —3C **14**
Park Rd. *NW4* —3H **23**
Park Rd. *NW9* —3F **23**
Park Rd. *NW10* —5G **29**
Park Rd. *Rick* —1A **2**
Park Rd. *Wemb* —3A **28**
Park Royal. —6D 28
Park Royal Junction. (Junct.)
  —5D **28**
Parkside. *NW7* —1H **17**
Parkside. *Wat* —1C **4**
Parkside Dri. *Edgw* —4C **8**
Parkside Rd. *N'wd* —6H **3**
Parkside Way. *Harr* —6H **13**
Parkthorne Clo. *Harr* —2H **19**
Parkthorne Dri. *Harr* —2G **19**
Parkview. Gnfd —6E **27**
  (off Perivale La.)
Park Vw. *Pinn* —3F **13**
Park Vw. *Wemb* —2D **28**
Parkview Ct. *Har W* —2C **14**

Pk. View Rd. *NW10* —1H **29**
Pk. View Rd. *Pinn* —2B **12**
Park Way. *Edgw* —3D **16**
Park Way. *Ruis* —4A **18**
Pk. Way Ct. *Ruis* —4A **18**
Parkway. *N'holt* —6D **24**
Parnell Clo. *Edgw* —5D **8**
Parr Rd. *Stan* —3H **15**
Parson's Cres. *Edgw* —4C **8**
Parson's Gro. *Edgw* —4C **8**
Partridge Clo. *Bush* —2A **6**
Partridge Clo. *Stan* —5A **8**
Pasteur Clo. *NW9* —4G **17**
Pasteur Ct. *Harr* —4F **21**
Pasture Clo. *Bush* —1A **6**
Pasture Clo. *Wemb* —6F **27**
Pasture Rd. *Wemb* —5F **21**
Pastures, The. *Wat* —1C **4**
Pathway, The. *Wat* —2D **4**
Paulhan Rd. *Harr* —6H **15**
Pavilion Lodge. *Harr* —4B **20**
Pavilion Way. *Edgw* —2D **16**
Pavilion Way. *Ruis* —5C **18**
Paxfold. *Stan* —6H **7**
Paxford Rd. *Wemb* —5F **21**
Paynesfield Rd. *Bus H* —1D **6**
Peace Clo. *Gnfd* —5B **26**
Peace Gro. *Wemb* —6D **22**
Pear Clo. *NW9* —6F **17**
Peareswood Gdns. *Stan* —3H **15**
Peary Ho. *NW10* —4F **29**
Pebworth Rd. *Harr* —5E **21**
Peel La. *NW9* —5H **17**
Peel Rd. *Harr & W'stone* —5D **14**
(in two parts)
Peel Rd. *Wemb* —6B **14**
Peerglow Ind. Est. *Wat* —2D **2**
Pellatt Rd. *Wemb* —5H **21**
(in two parts)
Pembroke Av. *Harr* —5E **15**
Pembroke Av. *Pinn* —4D **18**
Pembroke Cen., The. *Ruis* —4A **18**
Pembroke Lodge. *Stan* —1G **15**
Pembroke Pl. *Edgw* —2C **16**
Pembroke Rd. *N'wd* —4E **3**
Pembroke Rd. *Ruis* —4A **18**
Pembroke Rd. *Wemb* —6H **21**
Pempath Pl. *Wemb* —5H **21**
Pendragon Wlk. *NW9* —2G **23**
Penifather La. *Gnfd* —6B **26**
Penketh Dri. *Harr* —6B **20**
Penn Clo. *Gnfd* —6H **25**
Penn Clo. *Harr* —6G **15**
Penn Ct. *NW9* —5E **17**
Penn Pl. *Rick* —1A **2**
Penny Rd. *NW10* —6D **28**
Penrose Av. *Wat* —3E **5**
Penshurst Gdns. *Edgw* —6D **8**
Pentavia Retail Pk. *N'holt* —2H **17**
Pentland Av. *Edgw* —3D **8**
Pentland Pl. *N'holt* —5E **25**
Penwood Cir. *Pinn* —6F **13**
Penylan Pl. *Edgw* —2C **16**
Perceval Ct. *N'holt* —2G **25**
Peregrine Clo. *NW10* —2F **29**
Perimeade Rd. *Gnfd* —6G **27**
Perivale. —5G 27
Perivale Ind. Pk. *Gnfd* —6F **27**
Perivale New Bus. Cen. *Gnfd*
—6G **27**
Perkin Clo. *Wemb* —2F **27**
Perrin Rd. *Wemb* —1F **27**
Perryfield Way. *NW9* —2H **23**
Perry Gth. *N'holt* —5C **24**
Perry Mead. *Bush* —1A **6**
Perth Av. *NW9* —3F **23**
Perwell Av. *Harr* —4F **19**
Peterborough Rd. *Harr* —4C **20**
Peters Clo. *Stan* —1H **15**
Petherton Ct. *Harr* —2D **20**
(off Gayton Rd.)
Pettsgrove Av. *Wemb* —2G **27**
Pett's Hill. *N'holt* —2H **25**
Petworth Clo. *N'holt* —4F **25**
Phillips Ct. *Edgw* —1C **16**
Phoenix Clo. *N'wd* —5H **3**

Phoenix Ct. *Wemb* —6D **22**
Phoenix Ind. Est. *Harr* —6D **14**
Phoenix Trad. Est. *Gnfd* —5G **27**
Pickets Clo. *Bus H* —2B **6**
Pickett Cft. *Stan* —3H **15**
Pickwick Pl. *Harr* —3C **20**
Pike Rd. *NW7* —5F **9**
Pike's End. *Pinn* —6B **12**
Pilgrims Clo. *N'holt* —2A **26**
Pilgrim's Way. *Wemb* —4D **22**
Piltdown Rd. *Wat* —5D **4**
Pine Clo. *Stan* —5F **7**
Pine Gdns. *Ruis* —4B **18**
Pines Clo. *N'wd* —1G **11**
Pinewood Av. *Pinn* —1H **13**
Pinewood Clo. *N'wd* —6A **4**
Pinewood Clo. *Pinn* —1H **13**
Pinewood Lodge. *Bush* —2B **6**
Pinnacle Pl. *Stan* —5F **7**
Pinner. —6E 13
Pinner Ct. *Pinn* —6G **13**
Pinner Green. —4C 12
Pinner Grn. *Pinn* —4C **12**
Pinner Gro. *Pinn* —6E **13**
Pinner Hill. *Pinn* —2B **12**
Pinner Hill Farm. *Pinn* —3B **12**
Pinner Hill Golf Course. —2C 12
Pinner Hill Rd. *Pinn* —2B **12**
Pinner Pk. —3G 13
Pinner Pk. *Pinn* —4G **13**
Pinner Pk. Av. *Harr* —5H **13**
Pinner Pk. Gdns. *Harr* —4A **14**
Pinner Rd. *Harr* —6G **13**
Pinner Rd. *N'wd & Pinn* —3H **11**
Pinner Rd. *Pinn* —6F **13**
Pinner Rd. *Wat* —1D **4**
Pinner Vw. *Harr* —6A **14**
Pinnerwood Park. —3C 12
Pipers Grn. *NW9* —1E **23**
Pipers Grn. La. *Edgw* —4A **8**
(in two parts)
Pitcairn's Path. *Harr* —6A **20**
Pitfield Way. *NW10* —3E **29**
Plaitford Clo. *Rick* —3A **2**
Platt Halls. *NW9* —4H **17**
Playfield Rd. *Edgw* —4E **17**
Pleasant Pl. *S Harr* —4B **20**
Pleasant Way. *Wemb* —6G **27**
Plumpton Clo. *N'holt* —3G **25**
Pocklington Clo. *NW9* —4G **17**
Poets Way. *Harr* —6C **14**
Point Pl. *Wemb* —4D **28**
Point, The. *Ruis* —1A **24**
Police Sta. La. *Bush* —1H **5**
Polish War Memorial. (Junct.)
—3C **24**
Pontefract Ct. *N'holt* —2H **25**
(off Newmarket Av.)
Pool Rd. *Harr* —3B **20**
Poolsford Rd. *NW9* —6G **17**
Pop-In Commercial Cen. *Wemb*
—2D **28**
Poplar Clo. *Pinn* —3D **12**
Poplar Ct. *N'holt* —6C **24**
Poplar Gro. *Wemb* —6E **23**
Poplar Vw. *Wemb* —5H **21**
Porlock Av. *Harr* —4A **20**
Portal Clo. *Ruis* —1A **24**
(in two parts)
Portland Cres. *Stan* —4H **15**
Portland Heights. *N'wd* —5H **3**
Portman Gdns. *NW9* —4F **17**
Portsdown. *Edgw* —6C **8**
Potters End. *Pinn* —1B **12**
Potters Heights Clo. *Pinn* —2B **12**
Potter St. *N'wd* —3A **12**
Potter St. *Pinn* —3B **12**
Potter St. Hill. *Pinn* —1B **12**
Pound La. *NW10* —3H **29**
Powell Clo. *Edgw* —6A **16**
Powis Ct. *Bus H* —2B **6**
(off Rutherford Way)
Poynter Ct. *N'holt* —6D **24**
(off Gallery Gdns.)
Premier Pk. Rd. *NW10* —6D **28**
Prescelly Pl. *Edgw* —3B **16**

Press Ho. *NW10* —6F **23**
Press Rd. *NW10* —6F **23**
Preston. —4A 22
Preston Gdns. *NW10* —3H **29**
Preston Hill. *Harr* —6C **22**
Preston Rd. *Wemb & Harr* —4A **22**
Preston Waye. *Harr* —4A **22**
Prestwick Rd. *Wat* —2C **4**
Prestwood Av. *Harr* —6F **15**
Prestwood Clo. *Harr* —6F **15**
Priestley Ho. *Wemb* —6E **23**
(off Barnhill Rd.)
Priest Pk. Av. *Harr* —5G **19**
Primrose Clo. *Harr* —6F **19**
Primrose Gdns. *Bush* —1H **5**
Primrose Way. *Wemb* —6H **27**
Princes Av. *NW9* —6C **16**
Princes Clo. *NW9* —6C **16**
Princes Clo. *Edgw* —6C **8**
Princes Ct. *Wemb* —2A **28**
Princes Dri. *Harr* —5C **14**
Princess Av. *Wemb* —5A **22**
Princes Way. *Ruis* —1E **25**
Priors Fld. *N'holt* —3E **25**
Priors Gdns. *Ruis* —2C **24**
Priory Av. *Wemb* —1D **26**
Priory Clo. *Ruis* —1A **18**
Priory Clo. *Stan* —4D **6**
Priory Clo. *Wemb* —1D **26**
Priory Ct. *Bush* —2A **6**
Priory Ct. *Wemb* —6A **28**
Priory Cres. *Wemb* —6E **21**
Priory Dri. *Stan* —4D **6**
Priory Field Dri. *Edgw* —5D **8**
Priory Gdns. *W5* —6A **28**
Priory Gdns. *Wemb* —1E **27**
Priory Hill. *Wemb* —1E **27**
Priory Pk. Rd. *Wemb* —1E **27**
Priory Vw. *Bus H* —1C **6**
Priory Way. *Harr* —6H **13**
Promenade, The. *Edgw* —6C **8**
Prospect Clo. *Ruis* —3D **18**
Prothero Ho. *NW10* —4F **29**
Prout Gro. *NW10* —1G **29**
Prowse Av. *Bus H* —2A **6**
Proyers Path. *Harr* —3F **21**
Pump Clo. *N'holt* —6G **25**
Purcell M. *NW10* —4G **29**
Purcells Av. *Edgw* —6C **8**
Puttenham Clo. *Wat* —3C **4**
Pynnacles Clo. *Stan* —6F **7**

Q

Quadrangle, The. *Stan* —2G **15**
Quadrant, The. *Edgw* —1C **16**
Quadrant, The. *Harr* —5B **14**
Quad Rd. *Wemb* —6H **21**
Quainton St. *NW10* —6E **23**
Quakers Course. *NW9* —3H **17**
Queens Av. *Stan* —5G **15**
Queensbury. —5A 22
Queensbury Circ. Pde. *Harr &*
Stan —5A **16**
Queensbury Rd. *NW9* —3F **23**
Queensbury Rd. *Wemb* —6B **28**
Queensbury Sta. Pde. *Edgw*
—5B **16**
Queens Clo. *Edgw* —6C **8**
Queens Ct. *W'stone* —4G **15**
Queenscourt. *Wemb* —1A **28**
Queens Wlk. *NW9* —5E **23**
Queens Wlk. *Harr* —6C **14**
Queens Wlk. *Ruis* —5C **18**
Queens Wlk. Ter. *Ruis* —6C **18**
Queen Victoria Av. *Wemb* —4H **27**
Quill St. *W5* —6A **28**
Quintin Ct. *Pinn* —6B **12**

R

Rabournmead Dri. *N'holt* —2E **25**
Radbourne Ct. *Harr* —2F **21**
Radcliffe Av. *NW10* —6H **29**
Radcliffe Rd. *Harr* —4E **15**
Radcliffe Way. *N'holt* —6D **24**

Radley Gdns. *Harr* —6A **16**
Radnor Av. *Harr* —1C **20**
Radnor Ct. *Har W* —3D **14**
Radnor Rd. *Harr* —1B **20**
Radstock Av. *Harr* —5E **15**
Raeburn Ho. *N'holt* —6D **24**
(off Academy Gdns.)
Raeburn Rd. *Edgw* —3C **16**
R.A.F. Mus. Hendon. —4H **17**
R.A.F. Northolt. —2A **24**
Raglan Ct. *Wemb* —1B **28**
Raglan Gdns. *Wat* —2B **4**
Raglan Ter. *Harr* —1H **25**
Raglan Way. *N'holt* —3A **26**
Railway App. *Harr* —6D **14**
Rainborough Clo. *NW10* —3E **29**
Rainbow Ct. *Wat* —1C **4**
Rainsford Clo. *Stan* —5G **7**
Rainsford Rd. *NW10* —6D **28**
(in two parts)
Raisins Hill. *Pinn* —5C **12**
Raleigh Clo. *Pinn* —3D **18**
Raleigh Clo. *Ruis* —1E **25**
Ralston Way. *Wat* —3D **4**
Rama Ct. *Harr* —5C **20**
Ramillies Rd. *NW7* —3G **9**
Ramsay Pl. *Harr* —4C **20**
Ramsey Clo. *NW9* —2H **23**
Ramsey Clo. *Gnfd* —2B **26**
Randall Av. *NW2* —5G **23**
Randolph Ct. H End —2G **13**
(off Avenue, The)
Randon Clo. *Harr* —4H **13**
Ranelagh Clo. *Edgw* —5C **8**
Ranelagh Dri. *Edgw* —5C **8**
Ranelagh Rd. *NW10* —6H **29**
Ranelagh Rd. *Wemb* —3H **27**
Rankin Clo. *NW9* —5G **17**
Ranmoor Clo. *Harr* —6B **14**
Ranmoor Gdns. *Harr* —6B **14**
Rannoch Clo. *Edgw* —3D **8**
Rannock Av. *NW9* —4G **17**
Ravenscroft Av. *Wemb* —4A **22**
Ravenstone Rd. *NW9* —2H **23**
Ravenswood Cres. *Harr* —5F **19**
Ravenswood Pk. *N'wd* —1A **12**
Ray Gdns. *Stan* —6F **7**
Rayners Clo. *Wemb* —2H **27**
Rayners Gdns. *N'holt* —6B **24**
Rayners Lane. —4F 19
Rayners La. *Pinn & Harr* —1F **19**
Raynton Clo. *Harr* —4E **19**
Reade Wlk. *NW10* —4G **29**
Reading Rd. *N'holt* —2H **25**
Rectory Clo. *Stan* —1F **15**
Rectory Gdns. *N'holt* —5F **25**
Rectory La. *Edgw* —1C **16**
Rectory La. *Stan* —6F **7**
Rectory Pk. Av. *N'holt* —6F **25**
Redcar Clo. *N'holt* —2H **25**
Redcliffe Wlk. *Wemb* —6D **22**
Redding Ho. *Wat* —1G **3**
Reddings Clo. *NW7* —5H **9**
Reddings, The. *NW7* —4H **9**
Redfern Rd. *NW10* —4G **29**
Redhill Dri. *Edgw* —4E **17**
Red Lion Pde. *Pinn* —6E **13**
Redman Clo. *N'holt* —6C **24**
Redwood Clo. *Wat* —5D **4**
Reenglass Rd. *Stan* —5H **7**
Rees Dri. *Stan* —5A **8**
Reets Farm Clo. *NW9* —2G **23**
Reeves Av. *NW9* —3F **23**
Regal Way. *Harr* —2A **22**
Regent Clo. *Harr* —2A **22**
Regents Clo. *Stan* —5A **8**
Reginald Rd. *N'wd* —3H **11**
Reid Clo. *Pinn* —6A **12**
Rembrandt Rd. *Edgw* —4C **16**
Repton Av. *Wemb* —1G **27**
Repton Rd. *Harr* —6B **16**
Reservoir Rd. *Ruis* —6F **11**
Retles Ct. *Harr* —3C **20**
Retreat Clo. *Harr* —1G **21**

Retreat, The—Sandridge Clo.

Retreat, The. *NW9* —1F **23**
Retreat, The. *Harr* —3G **19**
Reverend Clo. *Harr* —6H **19**
Review Rd. *NW2* —5H **23**
Reynolds Dri. *Edgw* —5B **16**
Rhyl Rd. *Gnfd* —6D **26**
Ribblesdale Av. *N'holt* —3H **25**
Ribchester Av. *Gnfd* —6D **26**
Riccall Ct. *NW9* —3G **17**
  (off Pageant Av.)
Richards Clo. *Bush* —1B **6**
Richards Clo. *Harr* —1E **21**
Richfield Rd. *Bush* —1A **6**
Richmond Ct. *Wemb* —6B **22**
Richmond Gdns. *Harr* —2D **14**
Rickmansworth. —2A 2
Rickmansworth Golf Course.
  —3C 2
Rickmansworth Rd. *N'wd* —6D **2**
Rickmansworth Rd. *Pinn* —4B **12**
Ridding La. *Gnfd* —2D **26**
  (in two parts)
Ridge Clo. *NW9* —6F **17**
Ridgemont Gdns. *Edgw* —5E **9**
Ridgeway, The. *NW7* —4H **9**
Ridgeway, The. *NW9* —6F **17**
Ridgeway, The. *Kent* —2G **21**
Ridgeway, The. *N Har* —1F **19**
  (in two parts)
Ridgeway, The. *Ruis* —3A **18**
Ridgeway, The. *Stan* —1G **15**
Ridgeway Wlk. *N'holt* —3E **25**
  (off Arnold Rd.)
Ringwood Clo. *Pinn* —5C **12**
Ripon Clo. *N'holt* —2G **25**
Rise, The. *NW7* —1H **17**
Rise, The. *NW10* —1F **29**
Rise, The. *Edgw* —6D **8**
Rise, The. *Gnfd* —2E **27**
Rising Hill Clo. *N'wd* —1E **11**
Risingholme Clo. *Bush* —1H **5**
Risingholme Clo. *Harr* —3C **14**
Risingholme Rd. *Harr* —4C **14**
River Clo. *Ruis* —2A **18**
Riverdene. *Edgw* —4E **9**
Riverside Dri. *Rick* —2A **2**
Riverside Gdns. *Wemb* —6A **28**
Riverside Rd. *Wat* —1B **4**
Rivington Ct. *NW10* —5H **29**
Rivington Cres. *NW7* —2H **17**
Robarts Clo. *Pinn* —2B **18**
Robb Rd. *Stan* —1E **15**
Roberts Ct. *NW10* —3G **29**
Robina Clo. *N'wd* —3H **11**
Robin Clo. *NW7* —4G **9**
Robin Gro. *Harr* —2B **22**
Robin Hood Dri. *Harr* —2D **14**
Robin Hood Way. *Gnfd* —3D **26**
Robinson Cres. *Bus H* —2A **6**
Roch Av. *Edgw* —4B **16**
Rochester Dri. *Pinn* —1B **18**
Rochester Rd. *N'wd* —5H **11**
Rockford Av. *Gnfd* —6E **27**
Rocklands Dri. *Stan* —4F **15**
Rockware Av. *Gnfd* —5B **26**
Rockware Av. Bus. Cen. *Gnfd*
  —5B **26**
Rodgers Clo. *Els* —1H **7**
Rodney Clo. *Pinn* —3E **19**
Rodney Gdns. *Pinn* —1B **18**
Rodwell Clo. *Ruis* —4C **18**
Rodwell Pl. *Edgw* —1C **16**
Roe. *NW9* —2H **17**
Roe End. *NW9* —6E **17**
Roe Green. —6E 17
Roe Grn. *NW9* —1E **23**
Roe La. *NW9* —6D **16**
Rofant Rd. *N'wd* —1G **11**
Roger Bannister Sports Cen.,
  The. —1A **14**
Rogers Ruff. *N'wd* —3E **11**
Rokeby Rd. *Harr* —5B **14**
Rokesby Pl. *Wemb* —2H **27**
Romilly Dri. *Wat* —5E **5**
Romney Clo. *Harr* —3G **19**

Romney Dri. *Harr* —3G **19**
Ronart St. *W'stone* —5D **14**
Rook Clo. *Wemb* —6D **22**
Rookery Clo. *NW9* —1H **23**
Rookery, The. —1B 4
Rookery Way. *NW9* —1H **23**
Rosary Gdns. *Bush* —1C **6**
Roscoff Clo. *Edgw* —3E **17**
Rosebank Av. *Wemb* —1D **26**
Rose Bates Dri. *NW9* —6C **16**
Rosebery Av. *Harr* —1E **25**
Rosebery Rd. *Bush* —1H **5**
Rosebury Va. *Ruis* —5A **18**
Rose Ct. *S Harr* —5A **20**
Rose Ct. Wemb —6A **28**
  (off Vicars Bri. Clo.)
Rosecroft Clo. *N'wd* —1E **11**
Rosecroft Gdns. *NW2* —6H **23**
Rosecroft Wlk. *Pinn* —1D **18**
Rosecroft Wlk. *Wemb* —2H **27**
Rosedale Clo. *Stan* —1F **15**
Rosedale Clo. *Harr* —1D **26**
Rosedene Av. *Gnfd* —6G **25**
Rose Garden Clo. *Edgw* —1A **16**
Rose Glen. *NW9* —6F **17**
Rosehill Gdns. *Gnfd* —2D **26**
Rose Lawn. *Bus H* —2A **6**
Rosemary Ct. H End —2G **13**
  (off Avenue, The)
Rosemead. *NW9* —3H **23**
Rosemead Av. *Wemb* —2A **28**
Rosen's Wlk. *Edgw* —4D **8**
Rose Way. *Edgw* —5E **9**
Rosewood Av. *Gnfd* —2E **27**
Ross Clo. *Harr* —2A **14**
Ross Ct. *NW9* —5G **17**
Rossdale Dri. *NW9* —4E **23**
Rosshaven Pl. *N'wd* —3H **11**
Rosslyn Cres. *Harr* —6D **14**
Rosslyn Cres. *Wemb* —1A **28**
Rosslyn Gdns. Wemb —6A **22**
  (off Rosslyn Cres.)
Ross Way. *N'wd* —5H **3**
Rothesay Av. *Gnfd* —3A **26**
  (in two parts)
Rothwell Ct. *Harr* —1D **20**
Roughs, The. *N'wd* —4G **3**
Roundabout Ho. *N'wd* —3A **12**
Roundtree Rd. *Wemb* —2F **27**
Roundways. *Ruis* —6A **18**
Roundway, The. *Wat* —1H **3**
Roundwood Rd. *NW10* —3H **29**
Rowan Clo. *Stan* —1D **14**
Rowan Clo. *Wemb* —6E **21**
Rowan Dri. *NW9* —5H **17**
Rowdell Rd. *N'holt* —5G **25**
Rowe Wlk. *Harr* —6G **19**
Rowland Av. *Harr* —5G **15**
Rowland Pl. *N'wd* —2G **11**
Rowlands Av. *Pinn* —6G **5**
Rowlands Clo. *NW7* —2H **17**
Rowley Clo. *Wemb* —4B **28**
Roxborough Av. *Harr* —3B **20**
Roxborough Pk. *Harr* —3C **20**
Roxborough Rd. *Harr* —2B **20**
Roxbourne Clo. *N'holt* —3E **25**
Roxbourne Pk. Miniature
  Railway. —5D **18**
Roxeth. —5B 20
Roxeth Grn. Av. *Harr* —6H **19**
Roxeth Gro. *Harr* —1H **25**
Roxeth Hill. *Harr* —5B **20**
Royal Cres. *Ruis* —1E **25**
Royal London Ind. Est. *NW10*
  —6F **29**
ROYAL NATIONAL ORTHOPAEDIC
  HOSPITAL. —3F **7**
Royal Route. *Wemb* —1C **28**
Roy Rd. *N'wd* —2H **11**
Royston Gro. *Pinn* —1G **13**
Royston Pk. Rd. *Pinn* —1F **13**
Rubens Rd. *N'holt* —6C **24**
Ruby St. *NW10* —4F **29**
Rucklidge Av. *NW10* —6H **29**
Rucklidge Pas. *NW10* —6H **29**
  (off Rucklidge Av.)

Ruddock Clo. *Edgw* —2E **17**
Ruddy Way. *NW7* —1H **17**
Rudyard Gro. *NW7* —1E **17**
Rufford Clo. *Harr* —2E **21**
Rufforth Ct. NW9 —3G **17**
  (off Pageant Av.)
Rufus Clo. *Ruis* —6E **19**
Rugby Av. *Gnfd* —3B **26**
Rugby Av. *Wemb* —2F **27**
Rugby Clo. *Harr* —6C **14**
Rugby Rd. *NW9* —6D **16**
Ruislip Common. —6E 11
Ruislip Ct. *Ruis* —5A **18**
Ruislip Gardens. —6A 18
Ruislip Lido Railway. —6F **11**
Ruislip Manor. —4A 18
Ruislip Rd. *N'holt & S'hall* —5C **24**
Rumney Ct. *N'holt* —6D **24**
  (off Parkfield Dri.)
Runbury Circ. *NW9* —5F **23**
Runnel Fld. *Harr* —6C **20**
Runnymede Gdns. *Gnfd* —6C **26**
Runway, The. *Ruis* —2B **24**
Rupert Av. *Wemb* —2A **28**
Rushdene Clo. *N'holt* —6C **24**
Rushdene Cres. *N'holt* —6B **24**
Rushdene Rd. *Pinn* —2D **18**
Rushgrove Av. *NW9* —1G **23**
Rushgrove Pde. *NW9* —1G **23**
Rushmead Clo. *Edgw* —3D **8**
Rushmoor Clo. *Pinn* —6B **12**
Rushmoor Clo. *Rick* —3A **2**
Rushmoor Ct. *Wat* —1E **3**
Rushout Av. *Harr* —2F **21**
Ruskin Gdns. *Harr* —1B **22**
Rusland Heights. *Harr* —6C **14**
Rusland Pk. Rd. *Harr* —6C **14**
Rusper Clo. *Stan* —5G **7**
Russell Clo. *NW10* —4E **29**
Russell Clo. *N'wd* —6E **3**
Russell Clo. *Ruis* —5C **18**
Russell Gro. *NW7* —6G **9**
Russell Mead. *Har W* —3D **14**
Russell Rd. *NW9* —2H **23**
Russell Rd. *N'holt* —2A **26**
Russell Rd. *N'wd* —6E **3**
Russell Way. *Wat* —1B **4**
Russettings. *Pinn* —2F **13**
  (off Westfield Pk.)
Rustic Pl. *Wemb* —1H **27**
Ruth Clo. *Stan* —6B **16**
Rutherford Way. Wemb —6E **23**
  (off Barnhill Rd.)
Rutherford Way. *Bus H* —2B **6**
Rutherford Way. *Wemb* —1C **28**
Ruthin Clo. *NW9* —2G **23**
Rutland Ho. *N'holt* —3G **25**
  (off Farmlands, The)
Rutland Pl. *Bush* —2B **6**
Rutland Rd. *Harr* —2A **20**
Rutts, The. *Bush* —2B **6**
Ryan Clo. *Ruis* —4B **18**
Rydal Ct. *Edgw* —6B **8**
Rydal Ct. *Wemb* —3B **22**
Rydal Cres. *Gnfd* —6F **27**
Rydal Gdns. *NW9* —1G **23**
Rydal Gdns. *Wemb* —4G **21**
Rydal Way. *Ruis* —1C **24**
Ryefield Ct. *N'wd* —4A **12**
Ryefield Cres. *N'wd* —4A **12**
Ryefield Pde. *N'wd* —4A **12**
  (off Joel St.)
Rye Way. *Edgw* —1B **16**
Rylandes Rd. *NW2* —6H **23**

Sackville Clo. *Harr* —6B **20**
Saddlers Clo. *Pinn* —1G **13**
Saddlers M. *Wemb* —1D **26**
Saimel. NW9 —2H **17**
  (off Satchell Mead)
St Alban's Rd. *NW10* —5G **29**
St Alphage Wlk. *Edgw* —4E **17**
ST ANDREW'S AT HARROW.
  —5C **20**
St Andrew's Av. *Wemb* —1E **27**

St Andrew's Clo. *Ruis* —5D **18**
St Andrew's Clo. *Stan* —4G **15**
St Andrews Dri. *Stan* —3G **15**
St Andrew's Rd. *NW9* —4F **23**
St Andrews Rd. *Wat* —4D **4**
St Andrews Ter. *Wat* —6C **4**
St Anne's Clo. *Wat* —5C **4**
St Anne's Rd. *Wemb* —2H **27**
St Ann's Rd. *Harr* —2C **20**
St Ann's Shop. Cen. *Harr* —2C **20**
St Augustine's Av. *W5* —6A **28**
St Augustines Av. *Wemb* —6A **22**
St Austell Clo. *Edgw* —4B **16**
St Barnabas Ct. *Har W* —3A **14**
St Bride's Av. *Edgw* —3B **16**
St Cuthberts Gdns. *Pinn* —2F **13**
St David's Clo. *Wemb* —6E **23**
St David's Dri. *Edgw* —3B **16**
St Edmund's Dri. *Stan* —3E **15**
St Francis Clo. *Wat* —2B **4**
St George's Av. *NW9* —6E **17**
St George's Clo. *Wemb* —6E **21**
St Georges Ct. Harr —2E **21**
  (off Kenton Rd.)
St George's Ct. *Wemb* —6D **22**
St George's Dri. *Wat* —4E **5**
St George's Shop. & Leisure Cen.
  Harr —2C **20**
St Gregory Clo. *Ruis* —1C **24**
St James Clo. *Ruis* —5C **18**
St James' Gdns. *Wemb* —4H **27**
St James's Ct. *Harr* —2E **21**
St John's Av. *NW10* —5H **29**
St John's Clo. *Wemb* —2A **28**
St John's Clo. *Harr* —2D **20**
St John's Ct. N'wd —3G **11**
  (off Murray Rd.)
St John's Rd. *Harr* —2D **20**
St John's Rd. *Wemb* —1H **27**
St Kilda's Rd. *Harr* —2C **20**
St Lawrence Clo. *Edgw* —2B **16**
St Lawrence Dri. *Pinn* —1B **18**
St Leonard's Av. *Harr* —1G **21**
ST LUKE'S KENTON GRANGE
  HOSPICE. —1B **20**
St Margaret's Av. *Harr* —6A **20**
St Margarets Ct. *Edgw* —6D **8**
St Margaret's Rd. *Edgw* —6D **8**
St Marks Clo. *Harr* —3F **21**
St Martins Clo. *Wat* —5C **4**
St Mary's Av. *N'wd* —6G **3**
St Mary's Rd. *NW10* —5G **29**
St Mary's Vw. *Harr* —1G **21**
St Matthias Clo. *NW9* —1H **23**
St Michael's Av. *Wemb* —3C **28**
St Michael's Cres. *Pinn* —2E **19**
St Paul's Av. *Harr* —6B **16**
St Peters Clo. *Bus H* —2B **6**
St Peter's Clo. *Ruis* —5D **18**
St Raphael's Way. *NW10* —2E **29**
St Saviours Ct. *Harr* —1C **20**
St Thomas Ct. *Pinn* —3E **13**
St Thomas Dri. *Pinn* —3E **13**
St Thomas's Rd. *NW10* —5G **29**
St Ursula Gro. *Pinn* —1D **18**
Salcombe Way. *Ruis* —5A **18**
Salehurst Clo. *Harr* —1A **22**
Salisbury Ct. N'holt —1H **25**
  (off Newmarket Av.)
Salisbury Ho. *Stan* —1E **15**
Salisbury Rd. *Harr* —1B **20**
Salisbury Rd. *Pinn* —6A **12**
Salmond Clo. *Stan* —1E **15**
Salmon St. *NW9* —4D **22**
Saltcroft Clo. *Wemb* —4D **22**
Salter Clo. *Harr* —1F **25**
Salters Clo. *Rick* —2A **2**
Salvia Gdns. *Gnfd* —6E **27**
Sancroft Rd. *Harr* —4D **14**
Sandhurst Av. *Harr* —4H **19**
Sandhurst Clo. *NW9* —5C **16**
Sandhurst Rd. *NW9* —5C **16**
Sandown Ct. *Stan* —6G **7**
Sandown Way. *N'holt* —3E **25**
Sandridge Clo. *Harr* —6C **14**

Sandringham Cres. *Harr* —5G **19**
Sandringham Rd. *N'holt* —4G **25**
Sandy La. *Harr* —2B **22**
Sandy La. *N'wd* —3H **3**
Sandy Lodge. *N'wd* —3G **3**
Sandy Lodge. *Pinn* —1G **13**
Sandy Lodge Ct. *N'wd* —6G **3**
Sandy Lodge Golf Course. —4F **3**
Sandy Lodge La. *N'wd* —3F **3**
Sandy Lodge Rd. *Rick* —3D **2**
Sandy Lodge Way. *N'wd* —6F **3**
Sandymount Av. *Stan* —6G **7**
Santway, The. *Stan* —6C **6**
Sapcote Trad. Est. *NW10* —3H **29**
Sarah Ct. *N'holt* —5F **25**
Sarita Clo. *Harr* —4B **14**
Sarsfield Rd. *Gnfd* —6F **27**
Sassoon. *NW9* —3H **17**
Satchell Mead. *NW9* —3H **17**
Saunders Hill. *Wemb* —3B **22**
Saunderton Rd. *Wemb* —2F **27**
Savernake Ct. *Stan* —1F **15**
Savoy Clo. *Edgw* —6C **8**
Sawyer Ct. *NW4* —2E **29**
Saxon Rd. *Wemb* —6E **23**
Scarle Rd. *Wemb* —3H **27**
Scarsdale Rd. *Harr* —6A **20**
School La. *Bush* —1H **5**
School La. *Pinn* —6E **13**
Scorton Av. *Gnfd* —6E **27**
Scot Gro. *Pinn* —2D **12**
Scots Hill. *Crox G & Rick* —1B **2**
Scots Hill Clo. *Rick* —1B **2**
Scotsmill La. *Rick* —1A **2**
Scott Cres. *Harr* —4H **19**
Scott Ho. NW10 —4F **29**
(off Stonebridge Pk.)
Scottwell Dri. *NW9* —1H **23**
Scout App. *NW10* —1G **29**
Scout Way. *NW7* —5F **9**
Scudamore La. *NW9* —6E **17**
Seacroft Gdns. *Wat* —4D **4**
Seaton Gdns. *Ruis* —6A **18**
Seaton Rd. *Wemb* —6A **28**
Secker Cres. *Harr* —3A **14**
Second Av. *Wemb* —5H **21**
Second Way. *Wemb* —1D **28**
Sedgecombe Av. *Harr* —1G **21**
Sedgefield Ct. N'holt —2H **25**
(off Newmarket La.)
Sedum Clo. *NW9* —1D **22**
Seelig Av. *NW9* —3H **23**
Sefton Av. *NW7* —6F **9**
Sefton Av. *Harr* —4B **14**
Selbie Av. *NW10* —1H **29**
Selborne Gdns. *Gnfd* —5E **27**
Selby Chase. *Ruis* —5B **18**
Sellons Av. *NW10* —5H **29**
Selsdon Rd. *NW2* —5H **23**
Selvage La. *NW7* —6F **9**
Selway Clo. *Pinn* —5B **12**
Selwyn Ct. *Edgw* —2D **16**
Selwyn Rd. *NW10* —4F **29**
Sentis Ct. *N'wd* —1H **11**
September Way. *Stan* —1F **15**
Sequoia Clo. *Bus H* —2B **6**
Sequoia Pk. *Pinn* —1H **13**
Seven Acres. *N'wd* —1B **12**
Sevenex Pde. *Wemb* —2A **28**
Sevenoaks Ct. *N'wd* —2E **11**
Severn Way. *NW10* —5H **29**
Seymour Clo. *Pinn* —3F **13**
Seymour Gdns. *Ruis* —4D **18**
Shackleton Ho. *NW10* —4F **29**
Shadwell Ct. *N'holt* —6F **25**
Shadwell Dri. *N'holt* —6F **25**
Shadybush Clo. *Bush* —1A **6**
Shaftesbury Av. *Harr & S Harr*
—4H **19**
Shaftesbury Av. *Kent* —1H **21**
Shaftesbury Circ. *S Harr* —4A **20**
Shaftesbury Pde. *S Harr* —4A **20**
Shakespeare Av. *N'holt* —2A **25**
Shakespeare Cres. *NW10* —5F **29**
Shakespeare Dri. *Harr* —2B **22**
Shakespeare Rd. *NW7* —5H **9**

Shaldon Dri. *Ruis* —6C **18**
Shaldon Rd. *Edgw* —4B **16**
Shanklin Gdns. *Wat* —5C **4**
Sharvel La. *N'holt* —5B **24**
Shaw Clo. *Bus H* —3C **6**
Sheaveshill Av. *NW9* —4G **17**
Sheaveshill Ct. *NW9* —6F **17**
Sheaveshill Pde. NW9 —6G **17**
(off Sheaveshill Av.)
Sheepcote Rd. *Harr* —2D **20**
Shefton Ri. *N'wd* —2A **12**
Shelbourne Clo. *Pinn* —5F **13**
Shellduck Clo. *NW9* —4G **17**
Shelley Clo. *Edgw* —5C **8**
Shelley Clo. *N'wd* —6H **3**
Shelley Gdns. *Wemb* —5G **21**
Shelley Rd. *NW10* —5F **29**
Shenley Av. *Ruis* —4A **18**
Shepherds Path. N'holt —3E 25
(off Arnold Rd.)
Shepherds Wlk. *NW2* —5H **23**
Shepherds Wlk. *Bus H* —3B **6**
Sheraton Bus. Cen. *Gnfd* —6G **27**
Sherborne Gdns. *NW9* —5C **16**
Sherborne Pl. *N'wd* —1F **11**
Sherbourne Ho. *Wat* —1F **3**
Sherbourne Pl. *Stan* —1E **15**
Sherfield Av. *Rick* —4A **2**
Sheridan Ct. *Harr* —2B **20**
Sheridan Ct. *N'holt* —2H **25**
Sheridan Gdns. *Harr* —2H **21**
Sheridan Rd. *Wat* —1D **4**
Sheridan Ter. *N'holt* —2H **25**
Sheriden Pl. *Harr* —3C **20**
Sherington Av. *Pinn* —2G **13**
Sherwood Av. *Gnfd* —3C **26**
Sherwood Ct. *S Harr* —5H **19**
Sherwood Rd. *Harr* —5A **20**
Sherwoods Rd. *Wat* —1E **5**
Shoelands Clo. *NW9* —5F **17**
Shooters Av. *Harr* —6G **15**
Shortcroft Mead Ct. NW10 —2H 29
(off Cooper Rd.)
Short Hill. *Harr* —4C **20**
Shorts Cft. *NW9* —6D **16**
Shrewsbury Av. *Harr* —6A **16**
Shrewsbury Cres. *NW10* —5F **29**
Shrubs Rd. *B Hth* —1B **10**
Sidmouth Dri. *Ruis* —6A **18**
Sidmouth Dri. *Ruis* —6A **18**
Sidney Rd. *Harr* —5A **14**
Sigers, The. *Pinn* —2B **18**
Silicone Bus. Cen. *Gnfd* —6G **27**
Silkfield Rd. *NW9* —1G **23**
Silk Ho. *NW9* —5F **17**
Silk Mill Ct. *Wat* —1B **4**
Silk Mill Rd. *Wat* —1B **4**
Silkstream Pde. *Edgw* —3E **17**
Silkstream Rd. *Edgw* —3E **17**
Silver Clo. *Harr* —2B **14**
Silverdale Cen., The. *Wemb* —5B **28**
Silverdale Clo. *N'holt* —2F **25**
Silverholme Clo. *Harr* —3A **22**
Silverston Way. *Stan* —1G **15**
Silvertree La. *Gnfd* —6B **26**
Silverwood Clo. *N'wd* —3E **11**
Sir Henry Floyd Ct. *Stan* —3F **7**
Sirius Rd. *N'wd* —6A **4**
Sitwell Gro. *Stan* —6D **6**
Siverst Clo. *N'holt* —3H **25**
Skidmore Way. *Rick* —2A **2**
Skillen Lodge. *Pinn* —3D **12**
Slatter. *NW9* —2H **17**
Sleaford Grn. *Wat* —4D **4**
Slewyn Ct. *Wemb* —6E **23**
Slough La. *NW9* —1E **23**
Snaresbrook Dri. *Stan* —5H **7**
Solomon's Hill. *Rick* —1A **2**
Somerford Clo. *Eastc & Pinn*
—6A **12**
Somerset Rd. *Harr* —1A **20**
Somers Way. *Bush* —1A **6**
Somervell Rd. *Harr* —2F **25**
Sonia Clo. *Wat* —1C **4**
Sonia Ct. *Harr* —2B **16**

Sonia Ct. *Harr* —2D **20**
Sonia Gdns. *NW10* —1H **29**
Sopwith. *NW9* —2H **17**
South Acre. *NW9* —4H **17**
Southacre Way. *Pinn* —3C **12**
South App. *N'wd* —4F **3**
Southbourne Av. *NW9* —4E **17**
Southbourne Clo. *Pinn* —3E **19**
Southbourne Ct. *NW9* —4E **17**
Southbourne Gdns. *Ruis* —4B **18**
South Clo. *Pinn* —3F **19**
South Dene. *NW7* —4F **9**
Southdown Cres. *Harr* —4A **20**
Southfield Pk. *Harr* —6H **13**
South Gdns. *Wemb* —5C **22**
South Grn. *NW9* —3G **17**
South Harrow. —6A 20
S. Harrow Ind. Est. *S Harr* —5A **20**
South Hill. *Harr* —4C **20**
S. Hill Av. *Harr & S Harr* —6A **20**
S. Hill Gro. *Harr* —1C **26**
Southill La. *Pinn* —6B **12**
South Mead. *NW9* —3H **17**
South Meadows. *Wemb* —2B **28**
South Oxhey. —5D 4
South Pde. *Edgw* —4C **16**
S. Park Way. *Ruis* —3C **24**
South Rd. *Edgw* —3D **16**
South Rd. *Harr* —4E **21**
South Ruislip. —1C 24
South Va. *Harr* —1C **26**
Southview Av. *NW10* —2H **29**
S. View Rd. *Pinn* —1B **12**
South Way. *Harr* —6G **13**
South Way. *Wemb* —2C **28**
Southwell Av. *N'holt* —3G **25**
Southwell Rd. *Kent* —2H **21**
Sovereign Gro. *Wemb* —6H **21**
Sparkbridge Rd. *Harr* —6C **14**
Sparrows Herne. *Bush* —1H **5**
Sparrows Way. *Bush* —1A **6**
Spencer Clo. *NW10* —6B **28**
Spencer Rd. *Harr* —6C **14**
Spencer Rd. *Wemb* —5G **21**
Spezia Rd. *NW10* —6H **29**
Spilsby Clo. *NW9* —3G **17**
Spinnells Rd. *Harr* —4F **19**
Spinney, The. *Stan* —5A **8**
Spinney, The. *Wemb* —6E **21**
Spring Clo. *Hare* —3A **10**
Spring Dri. *Pinn* —2A **18**
Springfield. *Bus H* —2B **6**
Springfield Clo. *Stan* —4E **7**
Springfield Gdns. *NW9* —1F **23**
Springfield Gdns. *Ruis* —4B **18**
Springfield Mt. *NW9* —1G **23**
Springfield Rd. *Harr* —2C **20**
Spring Lake. *Stan* —5F **7**
Spring Villa Rd. *Edgw* —2C **16**
Springway. *Harr* —3B **20**
Springwell Av. *NW10* —5H **29**
Springwood Cres. *Edgw* —3D **8**
Spur Rd. *Edgw* —5A **8**
Squirrels, The. *Pinn* —5F **13**
Stable Clo. *N'holt* —6G **25**
Stadium Bus. Cen. *Wemb* —6D **22**
Stadium Retail Pk. *Wemb* —6C **22**
Stadium Way. *Wemb* —1B **28**
Stafford Rd. *Harr* —2A **14**
Stafford Rd. *Ruis* —1A **24**
Stag Clo. *Edgw* —4D **16**
Stag La. *Edgw & NW9* —4D **16**
Stamford Clo. *Harr* —2C **14**
Stancroft. *NW9* —1G **23**
Stanfield Ho. N'holt —6D 24
(off Academy Gdns.)
Stangate Gdns. *Stan* —5F **7**
Stanhope Av. *Harr* —3B **14**
Stanhope Gdns. *NW7* —6H **9**
Stanley Av. *Gnfd* —5A **26**
Stanley Av. *Wemb* —4A **28**
Stanley Clo. *Wemb* —4A **28**
Stanley Pk. Dri. *Wemb* —5B **28**
Stanley Rd. *NW9* —3H **23**
Stanley Rd. *Harr* —5A **20**
Stanley Rd. *N'wd* —3A **12**

Stanley Rd. *Wemb* —3B **28**
Stanmore. —6F 7
Stanmore Golf Course. —2E **15**
Stanmore Hill. *Stan* —4E **7**
Stanmore Lodge. *Stan* —5F **7**
Stanmore Pk. *Stan* —6F **7**
Stanway Gdns. *Edgw* —6E **9**
Stapenhill Rd. *Wemb* —6F **21**
Staplefield Clo. *Pinn* —2E **13**
Stapleford Rd. *Wemb* —4H **27**
Starling Clo. *Pinn* —5C **12**
Star Path. N'holt —6G 25
(off Brabazon Rd.)
Station App. *NW10* —6H **29**
Station App. *Gnfd* —4A **26**
Station App. *Harr* —3C **20**
Station App. *H End & Pinn* —5E **13**
Station App. *N'wd* —2G **11**
Station App. *S Ruis* —2B **24**
Station App. *Wat* —4D **4**
Station App. *Wemb* —3F **27**
Station Cres. *Wemb* —3F **27**
Station Gro. *Wemb* —3A **28**
Station Pde. *Edgw* —2A **16**
Station Pde. *Harr* —1H **25**
(HA2)
Station Pde. *Harr* —4E **15**
(HA3)
Station Pde. *N Har* —1H **25**
Station Pde. *N'holt* —4G **25**
Station Pde. *N'wd* —2G **11**
Station Rd. *NW4* —2H **23**
Station Rd. *NW7* —1G **17**
Station Rd. *NW10* —6H **29**
Station Rd. *Edgw* —1C **16**
Station Rd. *Harr* —6D **14**
Station Rd. *N Har* —1H **19**
Station Rd. *Rick* —1A **2**
Station Vw. *Gnfd* —5B **26**
Steele Rd. *NW10* —6E **29**
Steeplands. *Bush* —1H **5**
Stephenson St. *NW10* —6H **29**
Sterling Av. *Edgw* —5B **8**
Stevens Clo. *Pinn* —1C **18**
Stevens Grn. *Bus H* —2A **6**
Stewart Clo. *NW9* —2E **23**
Stilecroft Gdns. *Wemb* —6F **21**
Stilton Clo. *NW10* —4F **29**
Stirling Av. *Pinn* —4D **18**
Stirling Rd. *Harr* —5D **14**
Stiven Cres. *Harr* —6F **19**
Stockton Gdns. *NW7* —4G **9**
Stockton Ho. *S Harr* —4G **19**
Stonebridge. —5F 29
Stonebridge Pk. *NW10* —4F **29**
Stonebridge Shop. Cen. *NW10*
—5F **29**
Stonebridge Way. *Wemb* —3D **28**
Stonecrop Clo. *NW9* —5F **17**
Stonefield Clo. *Ruis* —2E **25**
Stonefield Way. *Ruis* —1E **25**
Stonegrove. —5A 8
Stonegrove. *Edgw* —5A **8**
Stone Gro. Ct. *Edgw* —6B **8**
Stonegrove Gdns. *Edgw* —6B **8**
Stoneyfields Gdns. *Edgw* —5E **9**
Stoneyfields La. *Edgw* —6E **9**
Storksmead Rd. *Edgw* —2G **17**
Stoxmead. *Harr* —3B **14**
Stracey Rd. *NW10* —5F **29**
Stradbrook Clo. *Harr* —6F **19**
Strathcona Rd. *Wemb* —5H **21**
Strathmore Gdns. *Edgw* —4D **16**
Stratton Clo. *Edgw* —1B **16**
Stratton Ct. Pinn —2F 13
(off Devonshire Rd.)
Stream La. *Edgw* —6D **8**
Streatfield Rd. *Harr* —5G **15**
Strongbridge Clo. *Harr* —4G **19**
Stroud Fld. *N'holt* —3E **25**
Stroud Ga. *Harr* —1H **25**
Stuart Av. *NW9* —3H **23**
Stuart Av. *Harr* —6F **19**
Stuart Rd. *Harr* —5D **14**
Sudbury. —2F 27
Sudbury Av. *Wemb* —6G **21**

Sudbury Ct. Dri. *Harr* —6D **20**
Sudbury Ct. Rd. *Harr* —6D **20**
Sudbury Cres. *Wemb* —2F **27**
Sudbury Cft. *Wemb* —1D **26**
Sudbury Heights Av. *Gnfd* —2D **26**
Sudbury Hill. *Harr* —5C **20**
Sudbury Hill Clo. *Wemb* —1D **26**
Sudbury Towers. *Gnfd* —2C **26**
Suez Av. *Gnfd* —6D **26**
Suffolk Rd. *NW10* —4G **29**
Suffolk Rd. *Harr* —2F **19**
Sullivan Cres. *Hare* —4A **10**
Sullivan Way. *Els* —1G **7**
Summer Gro. *Els* —1H **7**
Summer Pl. *Wat* —1H **3**
Summers Clo. *Wemb* —4D **22**
Summit Av. *NW9* —1F **23**
Summit Clo. *NW9* —6F **17**
Summit Clo. *Edgw* —2C **16**
Summit Rd. *N'holt* —4G **25**
Sumner Rd. *Harr* —3A **20**
Sunbury Av. *NW7* —6F **9**
Sunbury Gdns. *NW7* —6F **9**
Sundew Ct. *Wemb* —6A **28**
  (off Elmore Clo.)
Sunleigh Rd. *Wemb* —5A **28**
Sunley Gdns. *Gnfd* —5E **27**
Sunningdale Av. *Ruis* —4C **18**
Sunningdale Clo. *Stan* —1E **15**
Sunningdale Gdns. *NW9* —1E **23**
Sunningdale Lodge. *Edgw* —6B **8**
  (off Stonegrove)
Sunningdale Lodge. *Harr* —3C **20**
  (off Grove Hill)
Sunny Cres. *NW10* —4E **29**
Sunnydale Gdns. *NW7* —1F **17**
Sunnydene Av. *Ruis* —4A **18**
Sunnydene Gdns. *Wemb* —3G **27**
Sunnyfield. *NW7* —5H **9**
Sunnymead Rd. *NW9* —3F **23**
Sunnyside Ter. *NW9* —5F **17**
Sunny Vw. *NW9* —1F **23**
Sunrise Vw. *NW7* —1H **17**
Surrey Rd. *Harr* —1A **20**
Sussex Cres. *N'holt* —3G **25**
Sussex Rd. *Harr* —1A **20**
Sutherland Ct. *NW9* —1D **22**
Sutton Clo. *Pinn* —1A **18**
Swallow Clo. *Bush* —2H **5**
Swallow Ct. *Ruis* —4C **18**
Swallow Dri. *NW10* —3F **29**
Swallow Dri. *N'holt* —6G **25**
Swan Clo. *Rick* —1A **2**
Swan Dri. *NW9* —4G **17**
Swanston Path. *Wat* —4C **4**
Sweetmans Av. *Pinn* —5D **12**
Swift Clo. *Harr* —5H **19**
Swinderby Rd. *Wemb* —3A **28**
Swinton Clo. *Wemb* —4D **22**
Sycamore Clo. *Edgw* —5E **9**
Sycamore Clo. *N'holt* —5E **25**
Sycamore Gro. *NW9* —3E **23**
Sylvan Av. *NW7* —1G **17**
Sylvester Rd. *Wemb* —2G **27**
Sylvia Av. *Pinn* —1E **13**
Sylvia Ct. *Wemb* —4D **28**
Sylvia Gdns. *Wemb* —4D **28**

Tadworth Rd. *NW2* —5H **23**
Talbot Av. *Wat* —1E **5**
Talbot Ct. *NW9* —6F **23**
Talbot Rd. *Harr* —4D **14**
Talbot Rd. *Rick* —2A **2**
Talbot Rd. *Wemb* —3H **27**
Talbot Wlk. *NW10* —3G **29**
Talgarth Wlk. *NW9* —1G **23**
Talisman Way. *Wemb* —6B **22**
Tallack Clo. *Harr* —2C **14**
Tallis Vw. *NW10* —5A **28**
Talman Gro. *Stan* —1H **15**
Tanfield Av. *NW2* —1H **29**
Tanglewood Clo. *Stan* —3C **6**
Tangmere Gdns. *N'holt* —6C **24**
  (in two parts)

Tanworth Clo. *N'wd* —1E **11**
Tanworth Gdns. *Pinn* —4B **12**
Target Roundabout. (Junct.)
  —5F **25**
Tatam Rd. *NW10* —4F **29**
Tate Gdns. *Bush* —1C **6**
Taunton Rd. *Gnfd* —5H **25**
Taunton Way. *Stan* —4A **16**
Tavistock Av. *Gnfd* —6E **27**
Tavistock Rd. *NW10* —6H **29**
Tavistock Rd. *Edgw* —3C **16**
Taylors La. *NW10* —4G **29**
Taylorsmead. *NW7* —6H **9**
Tayside Dri. *Edgw* —4D **8**
Teal Ct. *NW10* —3F **29**
Teal Dri. *N'wd* —2E **11**
Tedder Clo. *Ruis* —2A **24**
Tees Av. *Gnfd* —6C **26**
Teignmouth Clo. *Edgw* —4B **16**
Teignmouth Gdns. *Gnfd* —6E **27**
Teignmouth Pde. *Gnfd* —6E **27**
Telcote Way. *Ruis* —3C **18**
Telford Rd. *NW9* —2H **23**
Templars Dri. *Harr* —1B **14**
Temple Gdns. *Rick* —5D **2**
Temple Mead Clo. *Stan* —1F **15**
Tempo Ho. *N'holt* —6D **24**
Tempsford Ct. *Harr* —2D **20**
Temsford Clo. *Harr* —4A **14**
Tenby Av. *Harr* —4F **15**
Tenby Gdns. *N'holt* —3G **25**
Tenby Rd. *Edgw* —3B **16**
Tennyson Av. *NW9* —5E **17**
Tennyson Rd. *NW7* —6H **9**
Terminal Ho. *Stan* —6H **7**
Terrilands. *Pinn* —5F **13**
Tessa Sanderson Way. *Gnfd*
  —2B **26**
Tewkesbury Av. *Pinn* —5H **19**
Tewkesbury Gdns. *NW9* —5D **16**
Thackeray Clo. *Harr* —4G **19**
Thames Av. *Gnfd* —6D **26**
Theobald Cres. *Harr* —3A **14**
Theodora Way. *Pinn* —5H **11**
Third Av. *Wemb* —5H **21**
Third Way. *Wemb* —1D **28**
Thirleby Rd. *Edgw* —3F **17**
Thirlmere Av. *Gnfd* —6G **27**
Thirlmere Gdns. *N'wd* —6D **2**
Thirlmere Gdns. *Wemb* —4G **21**
Thirsk Clo. *N'holt* —3G **25**
Thistlecroft Gdns. *Stan* —3H **15**
Thistledene Av. *Harr* —6E **19**
Thomas A'Beckett Clo. *Wemb*
  —1D **26**
Thomas Hewlett Ho. *Harr* —1C **26**
Thomson Rd. *Harr* —5C **14**
Thorn Av. *Bush* —2A **6**
Thorn Bank. *Edgw* —1C **16**
Thorn Clo. *N'holt* —6F **25**
Thorndike Av. *N'holt* —5D **24**
Thorndyke Ct. *Pinn* —1F **13**
Thornhill Rd. *N'wd* —5E **3**
Thornley Dri. *Harr* —5H **19**
Thornton Gro. *Pinn* —6D **13**
Thorpe Cres. *Wat* —1C **4**
Thrush Grn. *Harr* —6G **13**
Thurlby Clo. *Harr* —2E **21**
Thurlby Rd. *Wemb* —3H **27**
Thurlow Gdns. *Wemb* —2H **27**
Thurlstone Rd. *Ruis* —6A **18**
Tillett Clo. *NW10* —3E **29**
Tilling Way. *Wemb* —6H **21**
Tillotson Rd. *Harr* —2H **13**
Tintagel Dri. *Stan* —5H **7**
Tintern Av. *NW9* —5D **16**
Tintern Path. *NW9* —2G **23**
  (off Fryent Gro.)
Tintern Way. *Harr* —4H **19**
Tiptree Rd. *Ruis* —1B **24**
Tithe Barn Way. *N'holt* —6B **24**
Tithe Clo. *NW7* —3H **17**
Tithe Farm Av. *Harr* —6G **19**
Tithe Farm Clo. *Harr* —6G **19**
Tithe Meadow. *Wat* —1F **3**
Tithe Wlk. *NW7* —3H **17**

Titian Av. *Bus H* —1C **6**
Tiverton Rd. *Edgw* —4B **16**
Tiverton Rd. *Ruis* —6A **18**
Tiverton Rd. *Wemb* —6A **28**
Tokyngton. —3D 28
Tokyngton Av. *Wemb* —3C **28**
Tolcarne Dri. *Pinn* —4A **12**
Toley Av. *Wemb* —3A **22**
Tolpits La. *Wat* —2E **3**
Tolpits La. Cvn. Site. *Wat* —1G **3**
Tonbridge Cres. *Harr* —6A **16**
Tooke Clo. *Pinn* —3E **13**
Toorack Rd. *Harr* —4B **14**
Torbay Rd. *Harr* —5E **19**
Torbridge Clo. *Edgw* —2A **16**
Torcross Rd. *Ruis* —6B **18**
Torrington Dri. *Harr* —1H **25**
Torrington Gdns. *Gnfd* —5G **27**
Torrington Rd. *Gnfd* —5G **27**
Torrington Rd. *Ruis* —6A **18**
Torver Rd. *Harr* —4C **14**
Totternhoe Clo. *Harr* —1G **21**
Tourist Info. Cen. —6C **14**
  (Wealdstone)
Tower La. *Wemb* —6H **21**
Towers Bus. Pk. *Wemb* —1E **29**
  (off Carey Way)
Towers Rd. *Pinn* —3E **13**
Towney Mead. *N'holt* —6F **25**
Towney Mead Ct. *N'holt* —6F **25**
Townsend Ind. Est. *NW10* —6E **29**
Townsend La. *NW9* —3F **23**
Townsend Way. *N'wd* —2H **11**
Townson Av. *N'holt* —6A **24**
Townson Way. *N'holt* —6A **24**
Tracy Ct. *Stan* —2G **15**
Trafalgar Ter. *Harr* —4C **20**
Treacy Clo. *Bus H* —3A **6**
Treetops Clo. *N'wd* —6F **3**
Tregenna Av. *Harr* —1G **25**
Tregenna Ct. *S Harr* —1G **25**
Trenchard Av. *Ruis* —1B **24**
Trenchard Clo. *NW9* —3G **17**
Trenchard Clo. *Stan* —1E **15**
Trescoe Gdns. *Harr* —3E **19**
Tretawn Gdns. *NW7* —5G **9**
Tretawn Pk. *NW7* —5G **9**
Treve Av. *Harr* —3B **20**
Trevelyan Cres. *Harr* —3H **21**
Trevone Gdns. *Pinn* —2E **19**
Trevor Clo. *Harr* —2D **14**
Trevor Clo. *N'holt* —6C **24**
Trevor Cres. *Ruis* —1A **24**
Trevor Gdns. *Edgw* —3F **17**
Trevor Gdns. *N'holt* —6C **24**
Trevor Gdns. *Ruis* —1A **24**
Trevor Rd. *Edgw* —3F **17**
Trevose Way. *Wat* —4C **4**
Triangle, The. *Wemb* —2B **28**
Tring Av. *Wemb* —5G **28**
Tring Ho. *Wat* —1G **3**
Trinity Clo. *N'wd* —1G **11**
Trojan Ind. Est. *NW10* —3H **29**
Troy Ind. Est. *Harr* —1D **20**
Truman Clo. *Edgw* —2D **16**
Truro Ho. *Pinn* —2F **13**
Tubbs Rd. *NW10* —6H **29**
Tudor Clo. *NW9* —5E **23**
Tudor Clo. *Pinn* —1A **18**
Tudor Ct. N. *Wemb* —2C **28**
Tudor Ct. S. *Wemb* —2C **28**
Tudor Enterprise Pk. *Harr* —6D **20**
  (HA1)
Tudor Enterprise Pk. *Harr* —5B **14**
  (HA3)
Tudor Est. *NW10* —6D **28**
Tudor Gdns. *NW9* —5E **23**
Tudor Gdns. *Harr* —4B **14**
Tudor Ho. *Pinn* —4C **12**
  (off Pinner Hill Rd.)
Tudor Rd. *Harr* —4B **14**
Tudor Rd. *Pinn* —4C **12**
Tudor Well Clo. *Stan* —5F **7**
Tunley Rd. *NW10* —5G **29**
Tunworth Clo. *NW9* —2E **23**

Turnberry Ct. *Wat* —4C **4**
Turner Clo. *Wemb* —2H **27**
Turner Rd. *Edgw* —4A **16**
Turnstone Clo. *NW9* —4G **17**
Turton Rd. *Wemb* —2A **28**
Twickenham Gdns. *Gnfd* —2E **27**
Twickenham Gdns. *Harr* —2C **14**
Twybridge Way. *NW10* —6A **28**
Twyford Abbey Rd. *NW10* —6B **28**
Twyford Ct. *Wemb* —6A **28**
  (off Vicars Bri. Clo.)
Twyford Rd. *Harr* —4H **19**
Tyburn La. *Harr* —3D **20**
Tylers Ct. *Wemb* —6A **28**
Tylers Ga. *Harr* —2A **22**
Tyre La. *NW9* —6G **17**
Tyrell Clo. *Harr* —1C **26**
Tyrrel Way. *NW9* —3H **23**

Ufford Clo. *Harr* —2H **13**
Ufford Rd. *Harr* —2H **13**
Ullswater Ct. *Harr* —3G **19**
Uneeda Dri. *Gnfd* —5B **26**
Union Ct. *N'holt* —6G **25**
Union Rd. *Wemb* —3A **28**
Unity Clo. *NW10* —3H **29**
University Clo. *NW7* —2H **17**
Upcroft Av. *Edgw* —6E **9**
Uphill Dri. *NW7* —6G **9**
Uphill Dri. *NW9* —1E **23**
Uphill Gro. *NW7* —5G **9**
Uphill Rd. *NW7* —5G **9**
Uplands, The. *Ruis* —4A **18**
Upper Hitch. *Wat* —2E **5**
Up. Paddock Rd. *Wat* —1E **5**
Upper Tail. *Wat* —4E **5**
Uppingham Av. *Stan* —3F **15**
Upton Gdns. *Harr* —1F **21**
Upton Lodge Clo. *Bush* —1A **6**
Uxbridge Rd. *Harr & Stan* —2A **14**
Uxbridge Rd. *Pinn* —4C **12**
Uxendon Cres. *Wemb* —4A **22**
Uxendon Hill. *Wemb* —4B **22**

Vale Cft. *Pinn* —1E **19**
Vale Ind. Est. *Wat* —1D **2**
Valencia Rd. *Stan* —5G **7**
Valency Clo. *N'wd* —5H **3**
Valentine Rd. *Harr* —6H **19**
Vale, The. *Pinn* —1C **24**
Valiant Clo. *N'holt* —6D **24**
Valley Clo. *Pinn* —4B **12**
Valley Dri. *NW9* —2C **22**
Valley Gdns. *Wemb* —4B **28**
Valley Pk. *Wat* —1E **3**
Vanbrough Cres. *N'holt* —5C **24**
Vancouver Mans. *Edgw* —3D **16**
Vancouver Rd. *Edgw* —3D **16**
Vane Clo. *Harr* —2B **22**
Varley Pde. *NW9* —6G **17**
Vaughan Rd. *Harr* —3A **20**
Vega Cres. *N'wd* —6H **3**
Vega Rd. *Bush* —1A **6**
Veldene Way. *Harr* —6F **19**
Ventnor Av. *Stan* —3F **15**
Vera Ct. *Wat* —1D **4**
Verney St. *NW10* —6F **23**
Vernon Ct. *Stan* —3F **15**
Vernon Dri. *Stan* —3E **15**
Vernon Ri. *Gnfd* —2B **26**
Verulam Av. *NW9* —3H **23**
Verwood Rd. *Harr* —4A **14**
Viaduct, The. *Wemb* —5A **28**
Viant Ho. *NW10* —4F **29**
Vicarage Clo. *N'holt* —4F **25**
Vicarage M. *NW9* —5F **23**
Vicarage Rd. *Wat* —1A **4**
Vicarage Way. *NW10* —6E **23**
Vicarage Way. *Harr* —3G **19**
Vicars Bri. Clo. *Wemb* —6A **28**
Victor Gro. *Wemb* —4A **28**
Victoria Av. *Wemb* —3D **28**
Victoria Clo. *Harr* —2D **20**
Victoria Ct. *Wemb* —3C **28**